EXCELで簡単プログラミング

プログラミングを知らないビジネスパーソンのためのプログラミング入門

小川公一郎／福田浩之 Koichiro Ogawa & Hiroyuki Fukuda

CCCメディアハウス

はじめに

プログラミングを知らないビジネスパーソンのためのプログラミング入門

プログラミングと聞いて、言葉は知っているものの、やったことはないというビジネスパーソンはまだまだ多い。本書はそういう人のために書いた。

時あたかも小学校のカリキュラムにプログラミングが正式採用された2020年である。「プログラミングって何?」という人にとっては、こうした社会の動きは気が気でないだろう。そういう人に、プログラミングとはつまりどういうものなのか、その全体像がつかめる本を作ろうというのが本書出版の動機である。

ビジネスパーソンの多くは、本人は「プログラミングなんて生まれてこのかたやったことがない」という人でも、実は気づかないうちにプログラミングをやっている。たとえばエクセルの表計算は、関数を使ったプログラムだから、本人がそれと気づかないうちにプログラミングしているのだ。

プログラミングは、やりながら覚えるほうが身につく。

プログラムを実行してコンピューターが動き出すと、ちょっとした感動も味わえる。逆に、コンピューターがうんともすんとも言ってくれないとき、デバッグを探して解決できたら、それも貴重な体験学習である。体験学習には身近なソフトウエアが適している。

ビジネスパーソンにとって最も身近なソフトと言えば、疑いなくエクセルだろう。そこで本書では、エクセルをプログラミングして、ついでに実務にも役立ちそうな動きをさせることにした。プログラミング学習とエクセル業務の自動化という一石二鳥をねらったのである。

コードを一つひとつ入力するのが面倒なら、本書のプログラミング事例をコピーペーストしてもらってもよい。だが本である以上、紙に印刷しているためコピーペーストにはひと手間を要する。

それでも試みに、どれかひとつでも実際にコピーして動かしてみれば、そこには意外な楽しさが見つかるだろう。コンピューターが動いている様子は画面に表れるから、コンピューターが実に素直に命令を一生懸命実行していることが見ていてわかる。

ある意味、コンピューターは人間より素直によく働くのだ。

プログラミング言語には、いま話題の「Python（パイソン）」をはじめとしてさまざまなものがあり、初心者はどこから入ればいいのか迷ってしまうことも多いだろう。

しかし、どの言語を学ぶにしても、共通する基本的な構造やルールというものがある。そうした基本構造、基本ルールを押さえていくことが、初心者にとってまず必要なのは言うまでもない。

本書では、多くのビジネスパーソンが体験的に学ぶことができるという点で、エクセルのマクロの言語であるＶＢＡで基本構造とルールを学ぶことにした。

その上で「Python」などの他の言語でそれぞれの文法を身につけるほうが、結局はプログラミング上達の近道と思うからである。

ＶＢＡでマクロをあれこれ実行してから他の言語を見ると、言語の意味もなんとなくわかるようになるし、文法の違いもわかってくるようになるものだ。

本書は、いわば「プログラミング入門の入門」なのである。

２０２０年４月

著　者

第2章 実物EXCELプログラミング講座 会議・ミーティング、プレゼン資料を一発で作る

第3章 実物EXCELプログラミング講座 いつもの作業がぐーんとラクになる

第4章 実物EXCELプログラミング講座 速さで差をつける仕事簡略化スキル

※本書ではWindows 10上でExcel 2016を動作させています

第1章

EXCELで学ぶ簡単プログラミング

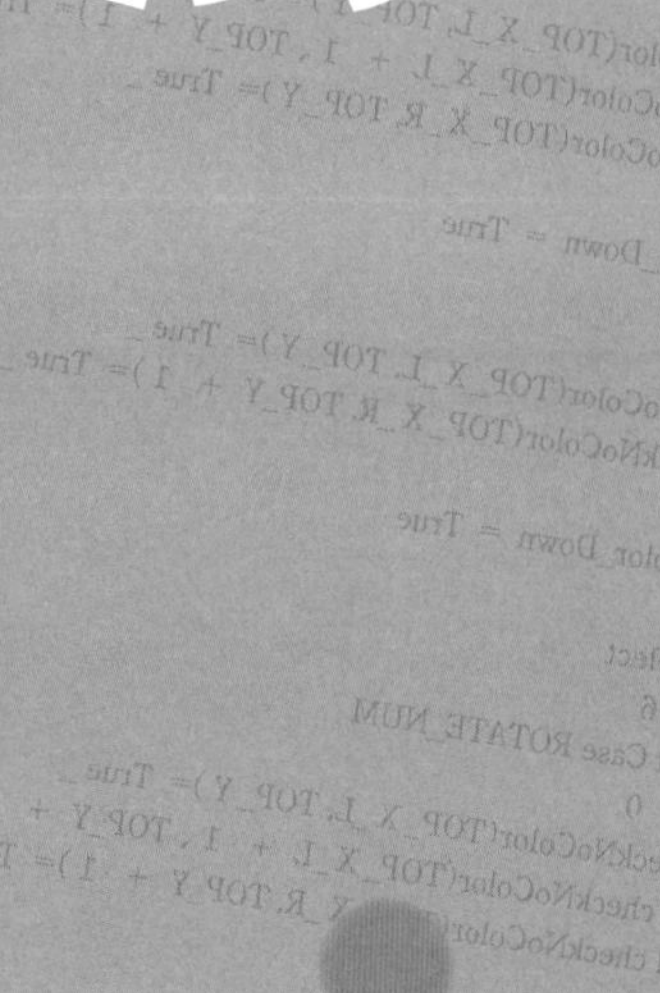

01

プログラミングは楽しみながら覚えよう

エクセルでゲームのプログラミングをしてみる

プログラミングとは本来楽しいものである。「さあ、プログラミングを勉強するぞ!」と肩に力を入れて取り組むより、「プログラミングで遊んでみよう」というくらいの姿勢でトライしたほうが、概してよく身につくものだ。

そこで、本書のプログラミングの第一歩は、ゲームのプログラムを組んでもらうことにした。

ゲームをプログラミングするといっても、当然ながらいきなりできるわけではないので、まずは巻末(163ページ〜)にあるプログラムをコピーして、エクセルマクロにペースト(貼り付け)して動かしてみてほしい。

首尾よく動けば、それがあなたにとって初のプログラミング体験ということになる。最初の体験が楽しければ、次の段階にチャレンジする意欲も湧くというものだ。ただし、言うまでもないことだが、コピーは正確に行わなければならない。そこには、数多くのプログラミングの約束事が含まれているからだ。

プログラミングでは、記号やスペースのルールなど、厳密な部分とあいまいな部分が混在している。本書で説明するVBAは、プログラミング言語のなかでは比較的融通のきく言語だと言えるだろう。

プログラミングの基本姿勢

ルールを覚えてからやるか、やりながら覚えるかと問われれば、プログラミングはやりながら覚えたほうが効率的だと言える。

コンピューターは人間とは違って、どんなに間違えても文句を言ってくることはない。だから安心して間違えられる。

不正確なプログラミングをすると、当然コンピューターは動かないが、そこで挫折する必要などまったくない。動かなければ、動くまでトライアンドエラーを繰り返せばよいのである。

人間相手なら、自分が指示命令できる立場だとしても、そう何度も誤った指示を繰り返したのではただではすまないだろう。

コンピューターなら、何度間違えようと黙って受け付けてくれる。

プログラミングはルールを覚えてからというより、実際にプログラミングしてみながら覚えればよいというのは、こうした背景があるからだ。

自作のゲームをプログラミングしてみよう

巻末のプログラムを実行すると、多くの人が一度は見たことのある、あるいはやったこともあるゲームが動き出す。

どんなゲームなのかは、動かしてみてのお楽しみだ。

やや長いプログラムなので、コピーするのは骨の折れる作業かもしれないが、首尾よく動けば苦労した甲斐があったと思えるはずだ。コピーといえども立派なプログラミングである。

次ページから、エクセルのプログラミングの基本を順番に説明していこう。

まずはエクセルの画面を立ち上げてもらいたい。すべてはそこからはじまる。

では、レッツ・プログラミング!

02 プログラミングのはじめの一歩!

Alt + F8 キーでマクロを呼び出そう

第2章以降で紹介するプログラムが、VBAで書かれたプログラムである。

VBAとは、エクセルマクロでプログラムを作るときのプログラミング言語であり、プログラミング言語としてポピュラーなもののひとつだ。

エクセルのプログラミングを覚えるということは、概ねVBAというプログラミング言語を覚えるということでもある。

VBAとは Visual Basic for Applications の略だ。

マクロとは、プログラミングするためのアプリケーションである。

そのマクロの言語がVBAということだ。

マクロのダイアログボックスを開く

エクセルマクロは、エクセルの画面を立ち上げ、メニューバーにある「表示」をクリックして開いた画面の一番右端にある「マクロ」をクリックしても現れる。

だが手っ取り早いのは、エクセルを立ち上げたら Alt を押しつつ F8 キーを押すことだ。

これで直接マクロのダイアログボックスを呼び出すことができる。左ページの下図にあるのが、マクロのダイアログボックスの画面である。

過去にマクロで作ったプログラムがあれば、ダイアログボックスに表示されるし、これまでプログラムを作っていなければ、マクロのダイアログボックスは空白になっている。

マクロを呼び出す

エクセルを立ち上げる

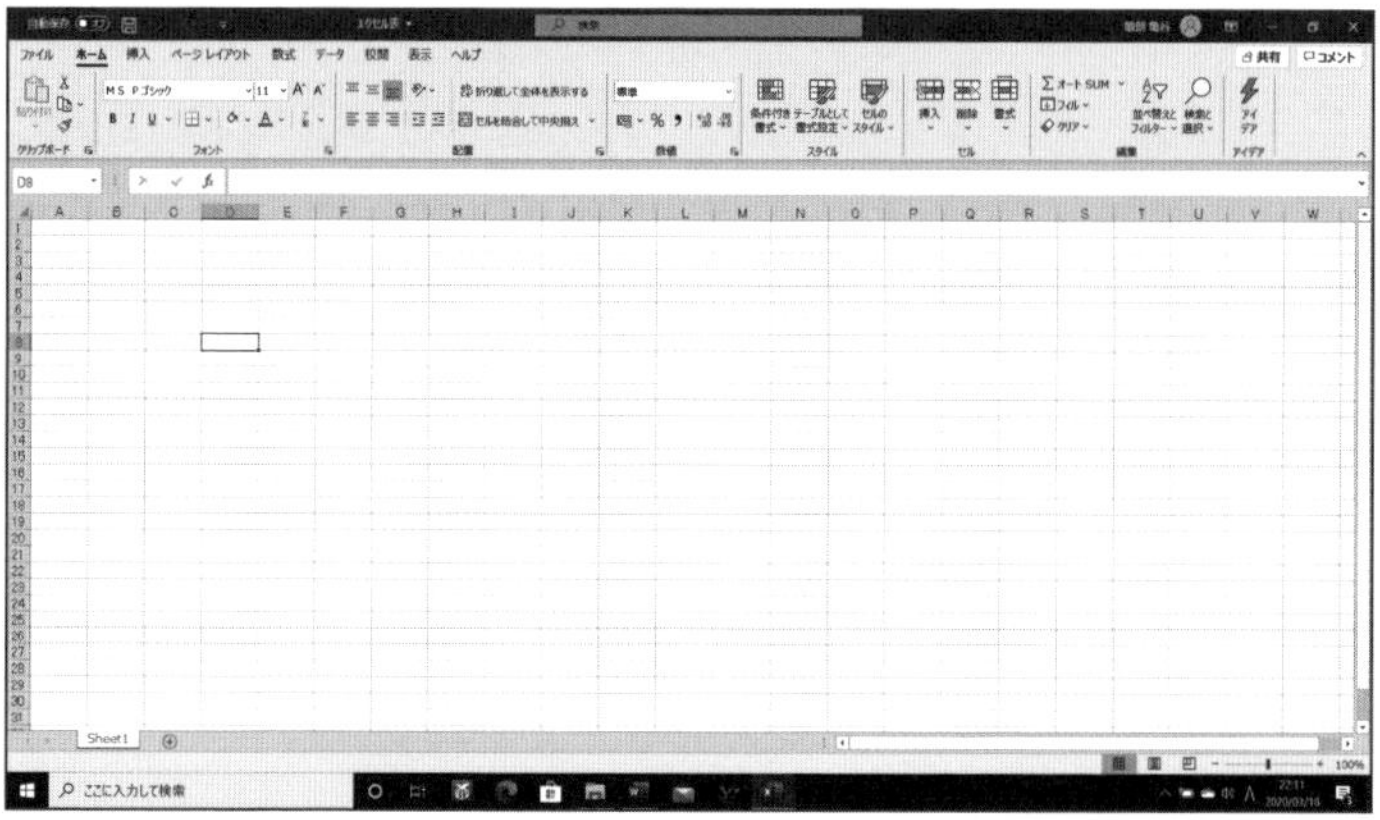

Alt＋F8キーでマクロを呼び出す

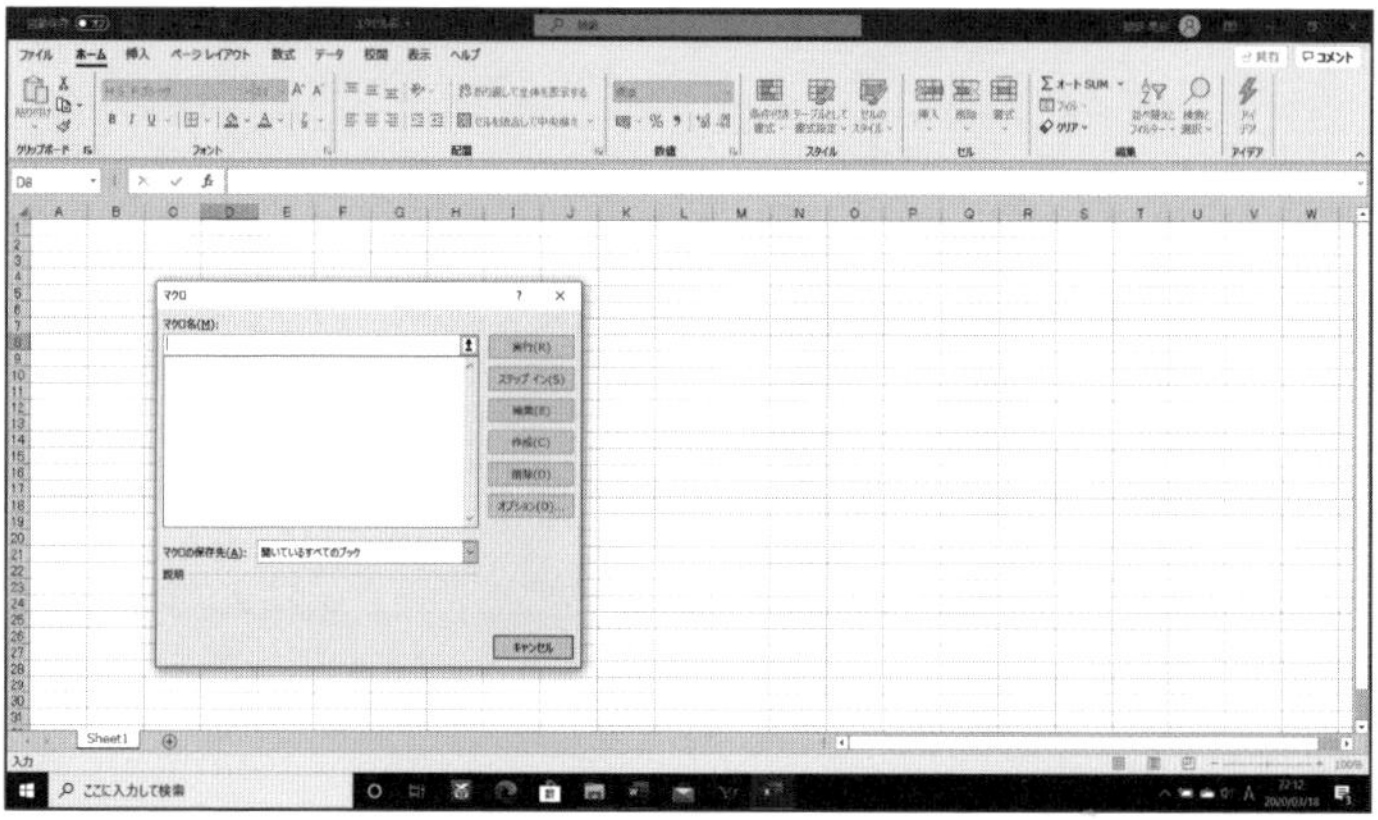

03

マクロのプログラミングはネーミングから

プログラムに名前を付ける

エクセルの画面上で Alt ＋ F8 キーを押してマクロのダイアログボックスを呼び出したら、まずやることは名前を付けることとである。ダイアログボックスの上段に、マクロ名（M）という表示があり、その下にある細長い空欄がマクロ名を記入する場所だ。

空欄の左端にカーソルが点滅しているから、そこにマクロの名前、すなわち自作のプログラムの名前を記入する。名前は何でもよい。ここではProgrammingというダミーの名前を使っている。アルファベットでも漢字やひらがなでもOKだ。

ここで記入した名前は、実際にプログラミングするときのプログラム名となる。プログラムにはきちんと名前を付けることが管理上も望ましい。

自作プログラムは、けっして一つだけでは終わらないだろう。この後、いくつも自作のプログラムを作ることを前提として名前を付けておかないと、管理がややこしくなる。

ダイアログボックスにマクロ名を記入すると、下の大きな空欄にも同じ名前が表示される。

プログラミング画面を開く

次に、右側に並んでいるボタンのうち、「作成」ボタンをクリックすると、プログラミング用の画面が出てくる。

プログラミング用の画面には、すでに「Sub Programming()」と「End Sub」が表記されているはずだ。これはマクロの便利な点でもある。

マクロのダイアログボックス

ダイアログボックスにマクロ名を記入
「作成」ボタンをクリック

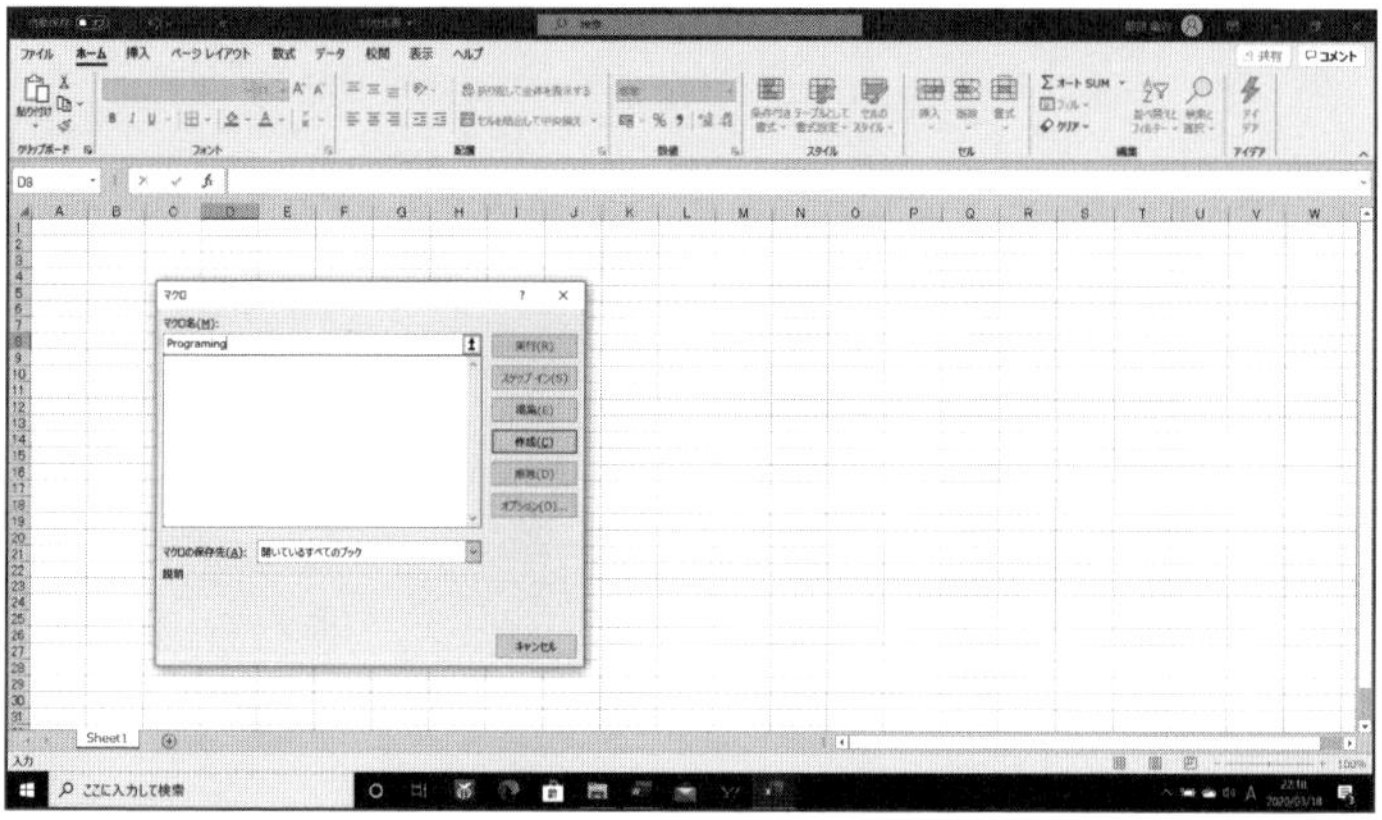

プログラム用の画面が開く

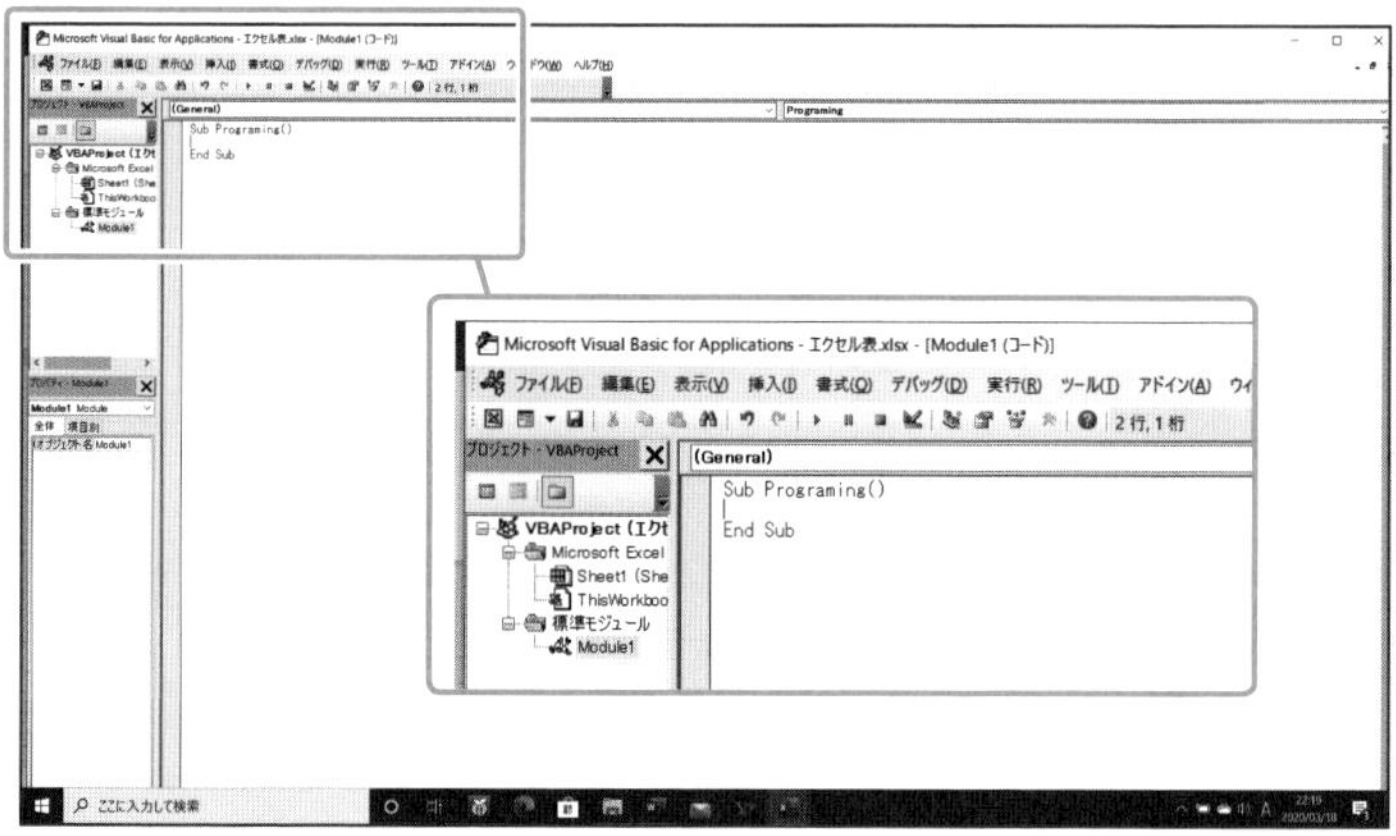

04

さあプログラムを書き込もう！

プログラミングの基本ルールを押さえる

冒頭にある「Sub ○○○○()」と「End Sub」の間に書き込まれるのがプログラムである。コンピューターはそう認識する。

このプログラムのかたまりのことをプロシージャと言う。プロシージャとはプログラムの単位のことだが、マクロ名の別名でもある。マクロ名がイコールプロシージャだ。

VBAのプロシージャには4つのルールがある。

①アルファベット、漢字、ひらがなすべてOK。
②アンダーバーは使えるがハイフンはNG。
③スペースを入れてはダメ。
④一番最初の文字に記号、数字は使えない。

気にしなくてよい点

英文表記の際は、大文字・小文字の違いは気にしなくてよい。大文字で記入しようが小文字で記入しようが、VBAがプログラミングに適切なものに自動的に変換してくれる。

プログラムでは、行間が空いていたり、行によって先頭の文字の位置が変わっていたりする。

これらは何か意味のあるように感じられるが、単なるレイアウトの問題と思っていい。コンピューターは、行間も行の開始位置も（VBAでは）認識しない。コンピューターが認識するのは、文字と、文字の間のスペースだけである。

ただし、ひとつの指示が終わったら必ず改行しなければいけない。

プログラミングの画面

```
Sub ○○○○()

  Dim ○○○○  As △△△
  Dim ○○○○  As △△△

  If xxxxxxxxx <> 0 Then
      iiiiiiiiiii
      zzzzzzzz
  End If

  ' ワークシートのValueを取得
  ○○○○ = Worksheets(iiiiiii).Cells.Value

  If △△△ < xxxxxx Then
      Worksheets.Cells(SCORE_POSITION_Y + 2,).Value = □■■□
  End If

End Sub
```

プロシージャ

Sub ○○○○()　プログラム開始

End Sub　プログラム終了

● 1行（改行から改行まで）がひとつの作業
● 行間や字下げは単にレイアウトの問題で、コンピューターは認識しない

'　これがつくとコンピューターはプログラムと認識しない

ワークシートのValueを取得　←これは作り手のメモ

05

コピペも立派なプログラミング体験

Alt ＋ F8 キーでプログラム実行

プログラミングのことをコーディングとも言う。本書では、プログラミング用の画面に第2章以降で紹介するプログラムをコピーしてもらうことにしている。

無事にコピーすることができたら、それでコーディング（プログラミング）終了だ。

ここまで来たら、いよいよプログラムを動かすことになる。

いったんエクセルの画面に戻り、Alt ＋ F8 キーを押すと、再びマクロのダイアログボックスが表示される。

そこでダイアログボックスの右側にある「実行」ボタンをクリックすると、コンピューターが動きはじめる。

何も起きないときは

もし動かなければ、プログラムに何か支障があるということになる。プログラムに問題があるときは、マクロでは問題のある個所と問題点について教えてくれる。

問題がわからないときは、とりあえずそれぞれのプログラムをコピーし直していただくしかない。

マクロのダイアログボックスで「実行」を指示してもプログラミング画面に戻ってしまうときは、画面の下か隅にあるエクセルのアイコンから、エクセルの画面を呼び出してみよう。

手順に誤りがなければ、エクセルは必ずどこかで動いているはずだ。

プログラムを
スタートさせるには

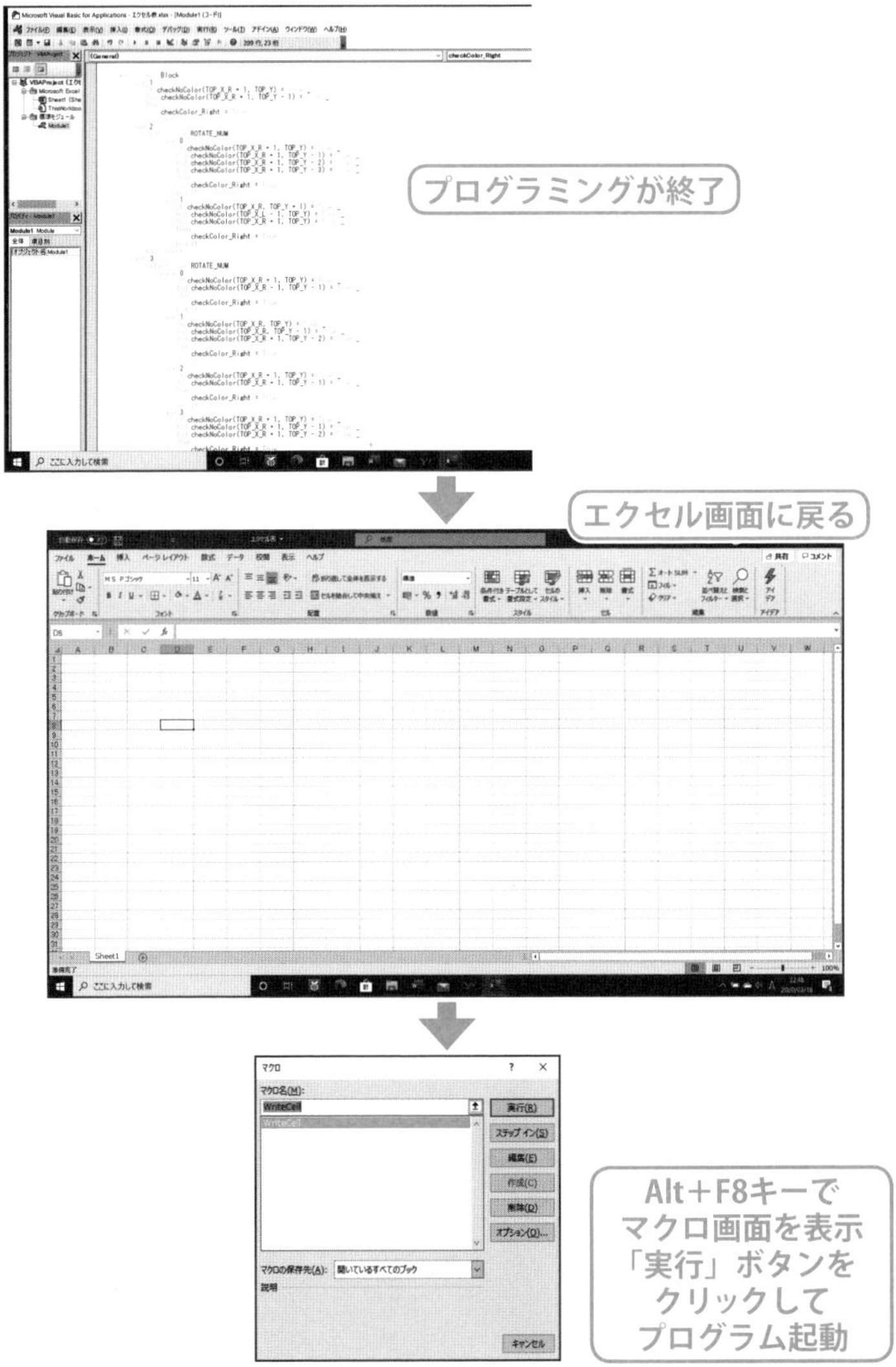
プログラミングが終了
エクセル画面に戻る
Alt＋F8キーで
マクロ画面を表示
「実行」ボタンを
クリックして
プログラム起動

06 そもそもなぜいまプログラミングなのか

読み書き、英語、プログラミングは社会人の基礎能力

2020年4月から、プログラミングが小学校の必修科目となる。

昔の人は学問の基本を「読み書きソロバン」と言っていたが、これからは「読み書き、英語、プログラミング」となるかもしれない。

「英語はできて当然」と同じように、プログラミングも「できて当たり前」という時代がやって来るのだ。7~8年もすれば、プログラミングは社会人の基礎能力となっているかもしれない。

その頃にはプログラミングも、もっと簡単に組むことのできるアプリが開発されているだろう。

コンピューター社会を見通す

車の構造を知らなくても運転するのに支障がないのと同じで、プログラミングの構造を知らなくてもコンピューターは自由に動かせるだろう。

しかしそれでも、プログラミングの基本は知っておくべきだ。

たとえば、プログラミングの基本を知ることで、私たちはコンピューターの動き方を理解できるようになる。コンピューターの動き方がわかれば、コンピューターにできることとできないことも自ずとわかるようになる。

いま注目されている5GやAIの可能性も、論理的に見極められるし、その見通しもつく。

コンピューターが現代社会のインフラである以上、プログラミングの基本知識は絶対になくてはならないはずだ。

プログラミングを知ることで コンピューター社会が見通せる

…… 5G(第5世代移動通信システム)は5階建て5車線高速道路 ……

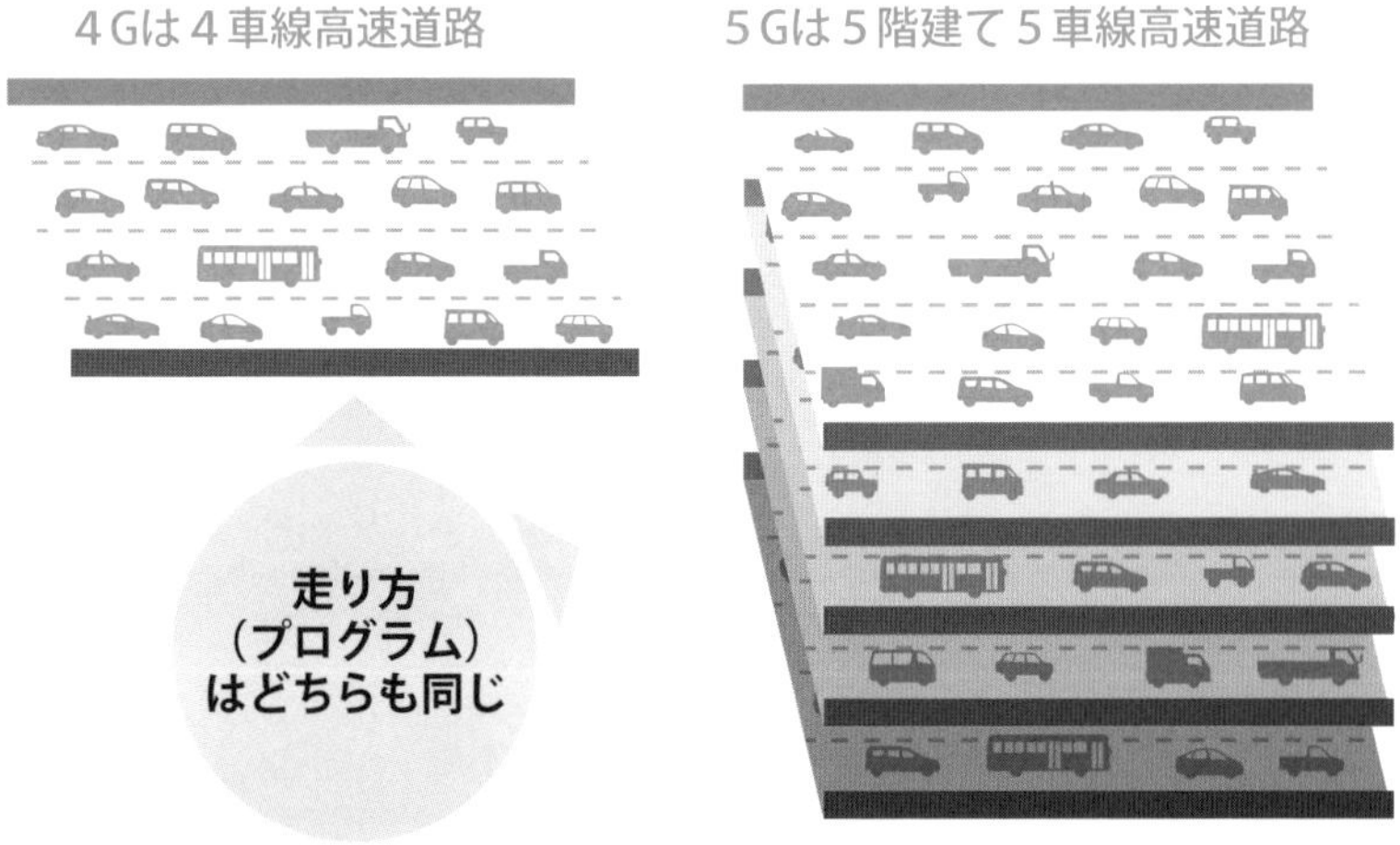

…… 機械学習 ……

07 コンピューターに命令するのは人間である

プログラミングしないとコンピューターはどうなる?

言うまでもないことだが、コンピューターはプログラムがなければ動かない。

いわゆるPC(パーソナルコンピューター)だけでなく、スマホも、家電も、車も、腕時計も、現代社会の道具は、ほぼプログラムなしでは動かない。

プログラムは裏で働いている。エクセルのプログラミングでは、冒頭に「Sub」と打ち込む。Sub routineのSubだ。Subからはじまるプログラミングは、文字通り見えないところで働くプログラムを作る作業である。

ほとんどの人は、自分が作ったエクセルの表のプログラムを見たことがないだろう。マクロを呼び出して「編集」ボタンをクリックすれば、そのプログラムを確認することができる。

コンピューターは自分でプログラミングできない

プログラムを組み立てる作業をプログラミングという。プログラミングとは、言葉を換えればコンピューターに命令することだ。

いまのところ、コンピューターに命令することは、コンピューターにはできない。つまり、プログラミングは人間にしかできないのである。

自分で何をするかを決めることができないのがコンピューターなのだ。ディープラーニングが得意なAIといえども、自分の意思で何かをはじめることはない。

それがコンピューターの現在位置だ。

プログラムは裏で働いている

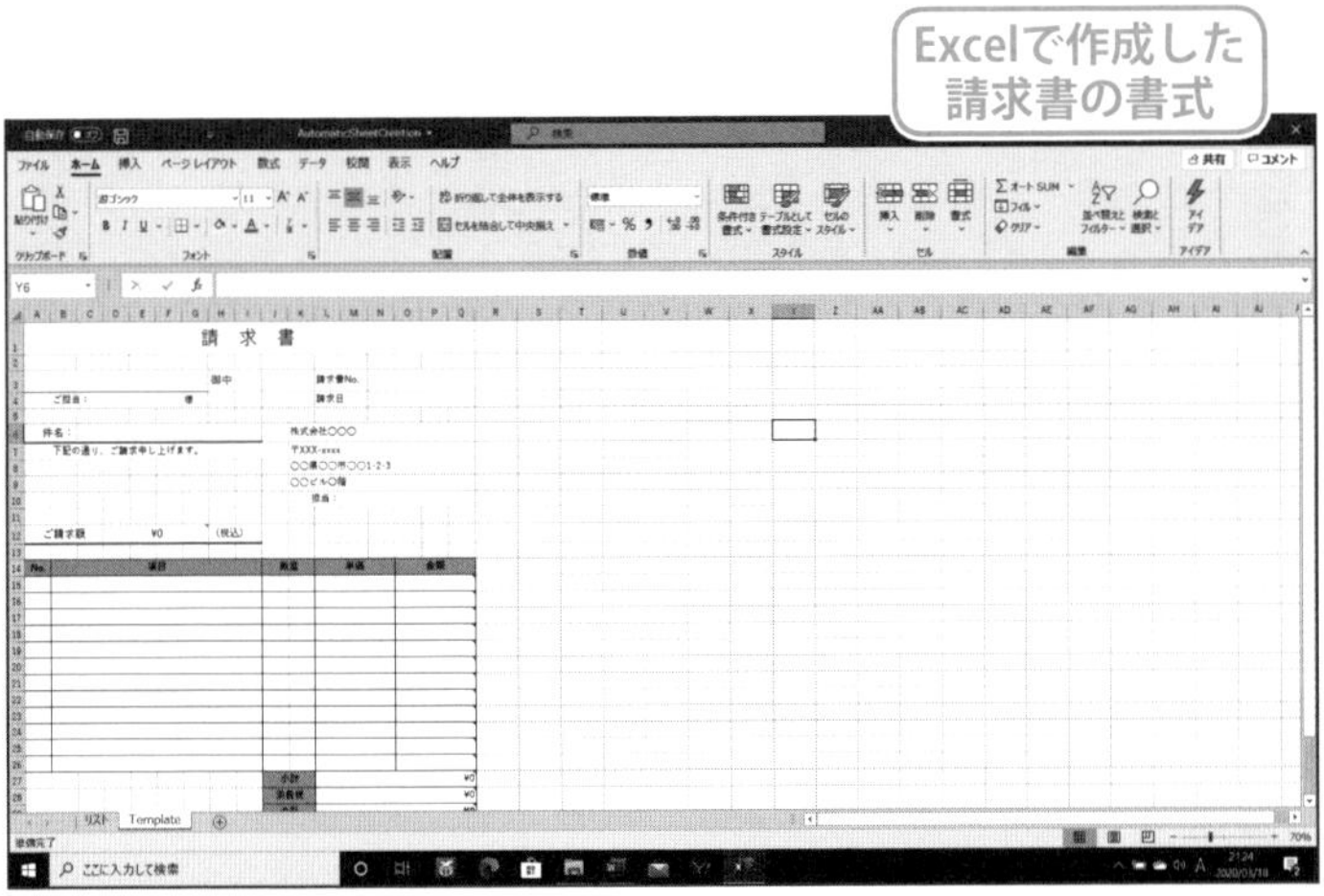

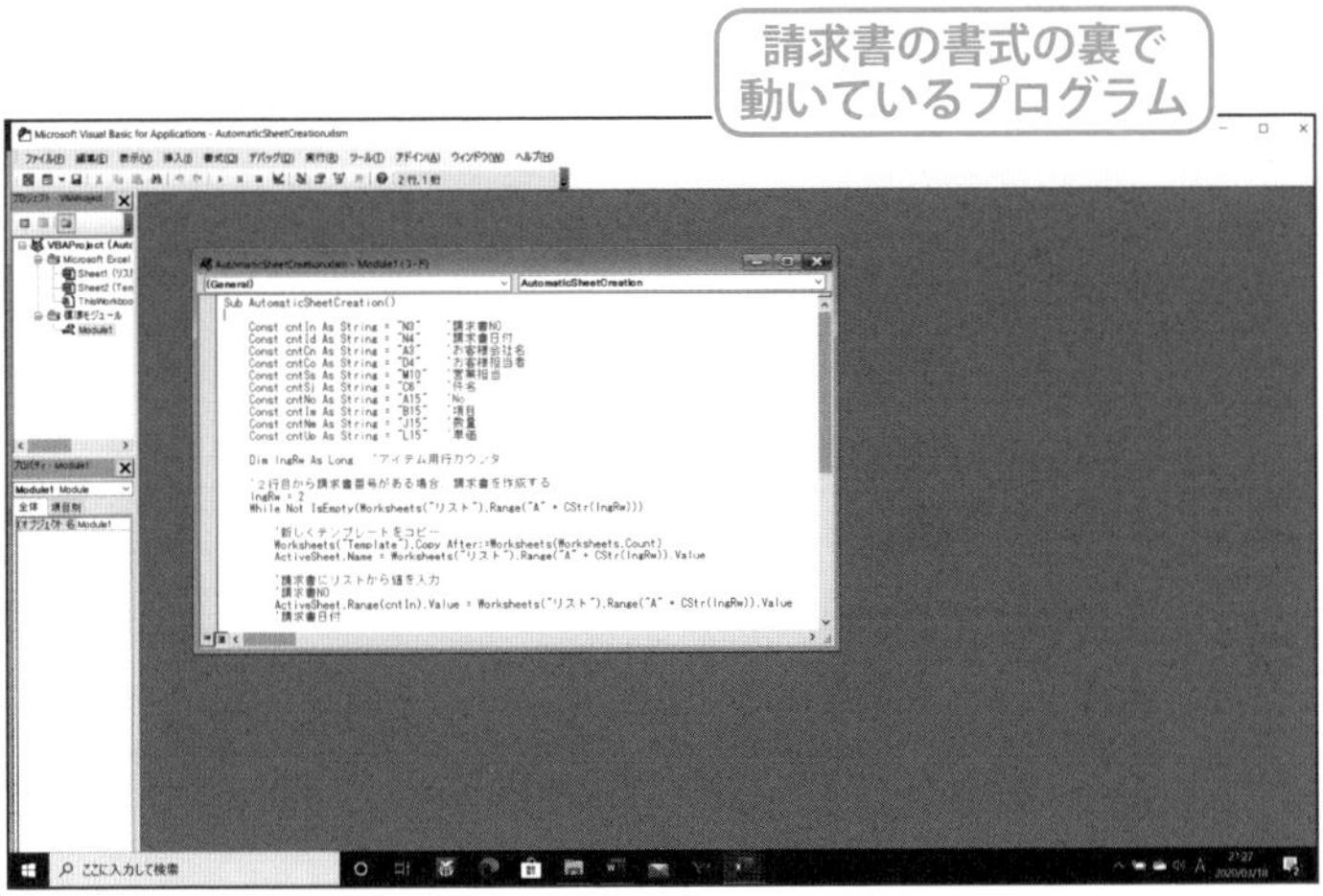

08

コンピューターの脅威もまたプログラム

コンピューターウイルスも正体はプログラム

AIに、サイバー空間にある膨大な情報を「ディープラーニング」させているのもプログラムである。ビッグデータから、あらゆる条件別に繰り返しデータを集めさせ、最も発生確率の高いケースを選択させる。そういうプログラムで動いている。AIとは、プログラミングの結果なのだ。

あとは学習速度と学習量の問題で、5Gによって学習量は格段に増えるし、量子コンピューターが登場すれば学習速度は驚異的なレベルに達するだろう。しかし、AIの中味がプログラムであることは変わらない。

ウイルスもプログラム

わが国でも、サイバー戦の技術を上げようと、自衛隊にもサイバー部隊が新設されている。サイバー戦の主力をなすのはコンピューターウイルスだ。ウイルスによって敵国のシステムを乗っ取る、またはダウンさせる。そのためのウイルス開発とその防御技術に、各国がしのぎを削っている。

コンピューターは誰が作ったプログラムであれ区別なく読むし、プログラムの命令通りに動く。

しかし、コンピューターはすべての言語を読めるわけではない。基本的にエクセルはVBAマクロ以外は読めない。ウィンドウズ用のウイルスであれば、マックは読めない。読めないプログラム（ウイルス）には感染しない。

つまり、サイバー攻撃の肝は読ませる技術にあり、防御の鍵はそれを読まないことにあるのだ。

コンピューターウイルスが
コンピューターに感染する仕組み

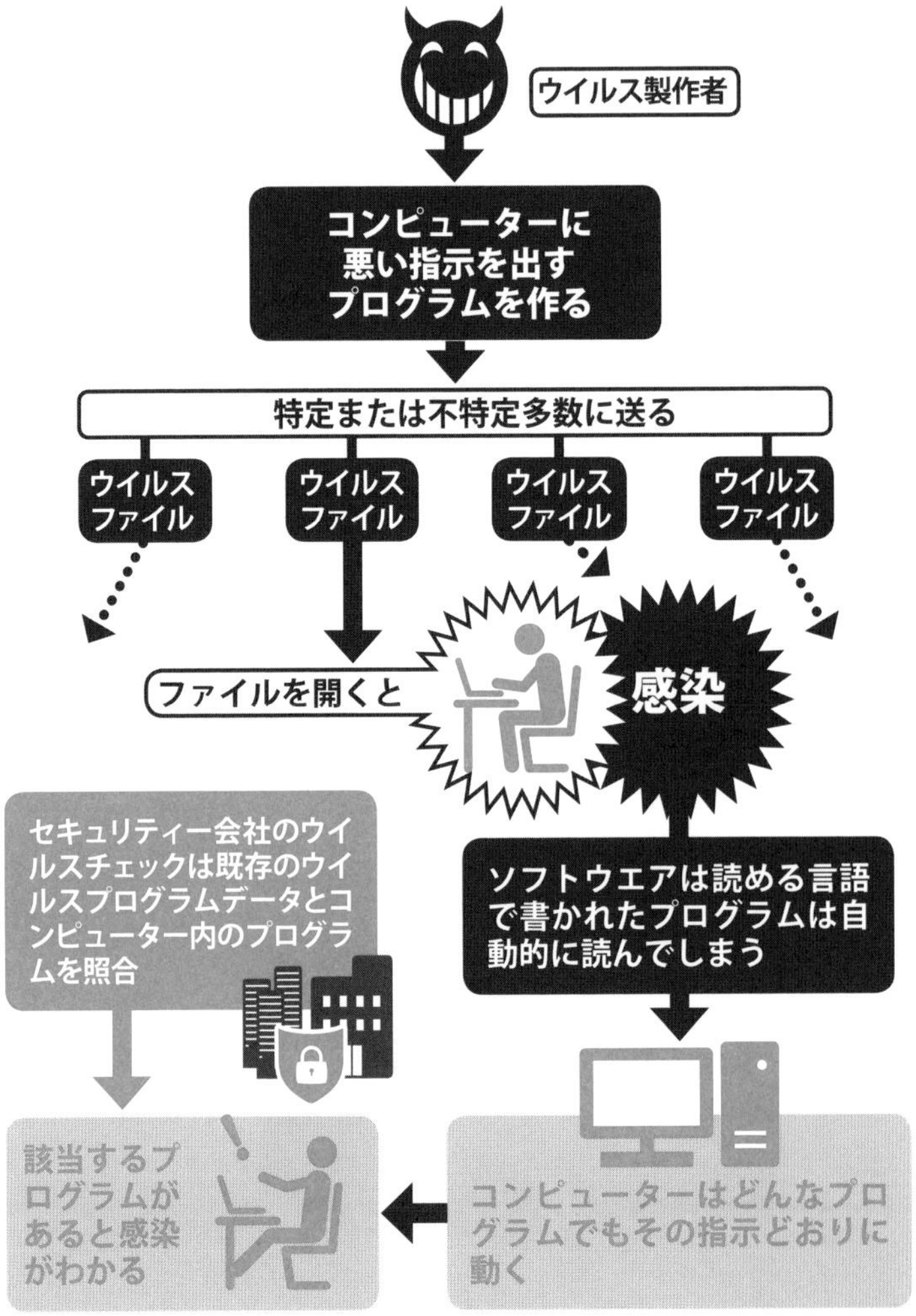

ウイルスの正体=他人のコンピューターを勝手にプログラミングすること

09 プログラミング言語と機械語の関係

コンピューターはプログラムをどうやって読んでいるのか？

コンピューター本来の言語とは、2進法の0（ゼロ）と1の組み合わせである。0と1とは、スイッチのオンとオフでもある。「010010110…」という数字の並びが、実際にコンピューターが読んでいる言葉ということになる。

つまり、コンピューターは直接プログラミング言語を読んでいるわけではなく、プログラミング言語を「コンピューターの言葉」に翻訳するコンパイラを介して読んでいる。

コンパイラ（機械語翻訳）もプログラムであり、広義にはソフトウエアとも言える。

プログラミング言語をコンピューターの言葉に翻訳して機械に伝えるソフトウエアではあるのだが、そのソフトウエアにも読める言語と読めない言語がある。

読める言語と読めない言語

マクロのプログラミング言語はVBAだが、VBAで書かれたプログラムをスマホのソフトに読ませようとしても無理である。

ソフトウエアによって読める言語と読めない言語がある以上、ソフトウエアの読める言語で書くことが、プログラミングの第一のルールとなる。

プログラミング言語とは、ソフトウエアに読ませる（その後に翻訳させる）ための言語である。

プログラミング言語が複数あるのは、何種類ものソフトウエアがあるためだ。だが、言語は違ってもプログラミングの構造は同じであることが多い。

コンピューターはプログラムを どう読んでいるのか

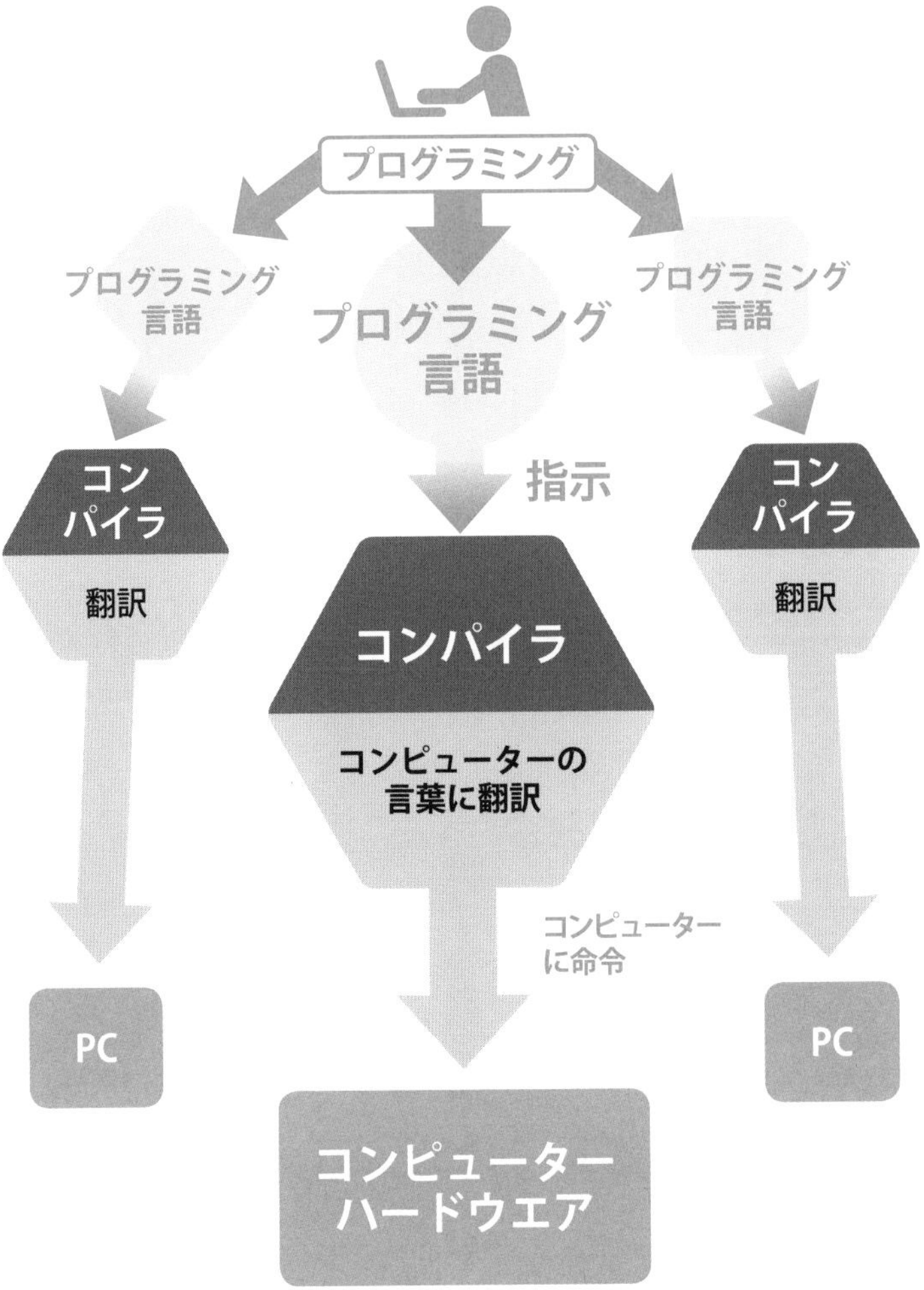

※コンパイラで翻訳しないケースもある

10

どんなプログラムも構造は同じ

プログラミングの基本構造は3種類

プログラミングにはルールがある。

そのルールで最も基本的なのが、「3つの基本構造」だ。すなわち、「順次構造」「選択構造」「反復構造」のことである。

プログラミング言語は、ソフトウエアやコンピューター環境によって異なるが、基本構造はほぼすべてのプログラミングで共通している。

まず、コンピューターにやってほしいことを、「上から順に書いていく」。これを「順次構造」という。

「選択構造」とは、「もし○○だったら△△を実行」という指示だ。選択構造は「If」ではじまり、「End If」で終わる。

だが、「もし○○だったら△△する」という指示を一つひとつ書いていくのは大変な作業になる。

そこで「反復構造」の出番だ。

反復構造で省エネ

プログラミングでは、同じ作業を何度か繰り返すことがある。その度に同じことを記入するのも面倒だ。そこでプログラミングでは、反復を指示しておけば、指示した回数だけその作業を繰り返させることができる。これが「反復構造」だ。

プログラミングの手間を省くという点で、反復構造はプログラマーにとってありがたいルールと言える。

プログラミングは、「順次構造」「選択構造」「反復構造」の3つのルールで構成されている。

順次構造　選択構造　反復構造

順次構造

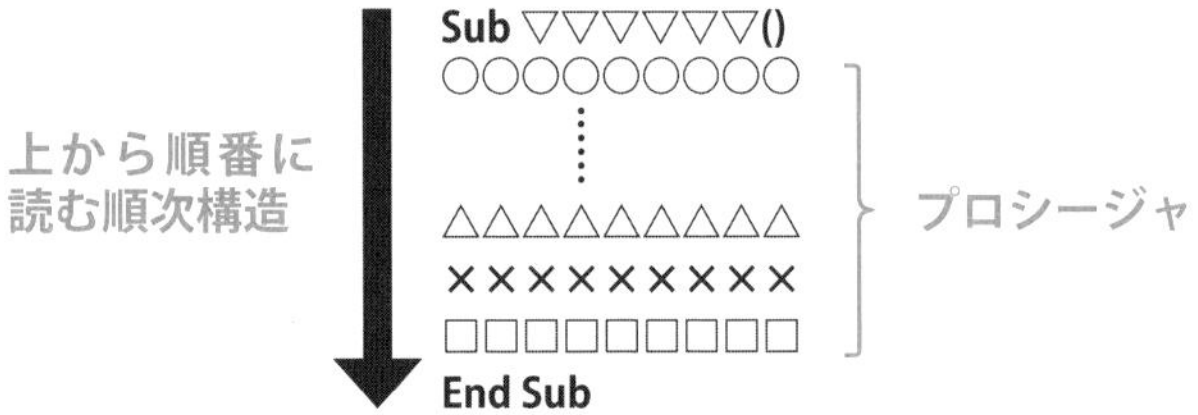

選択構造

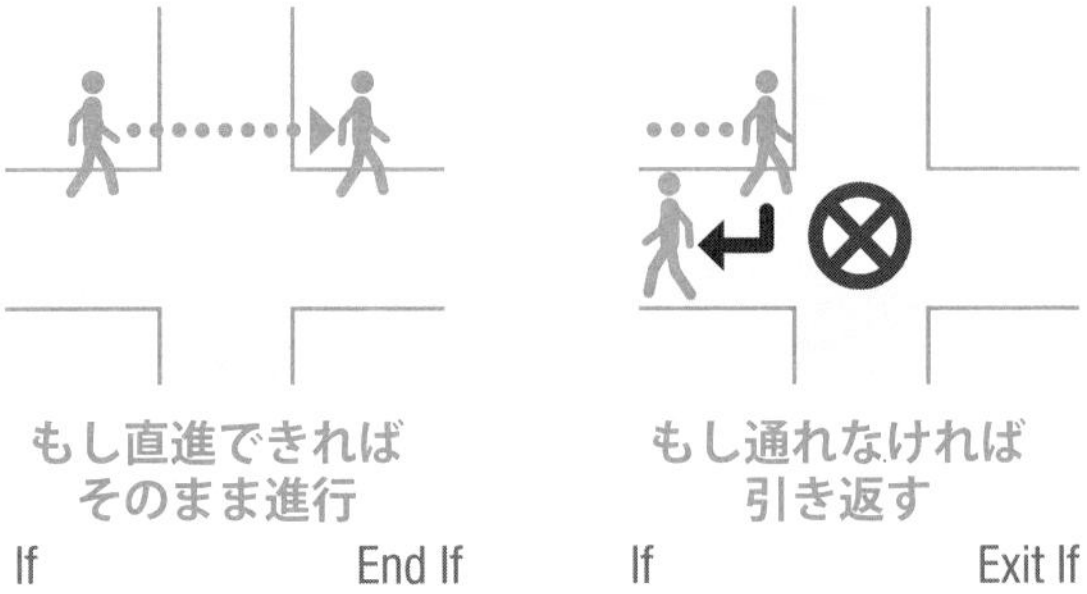

反復構造

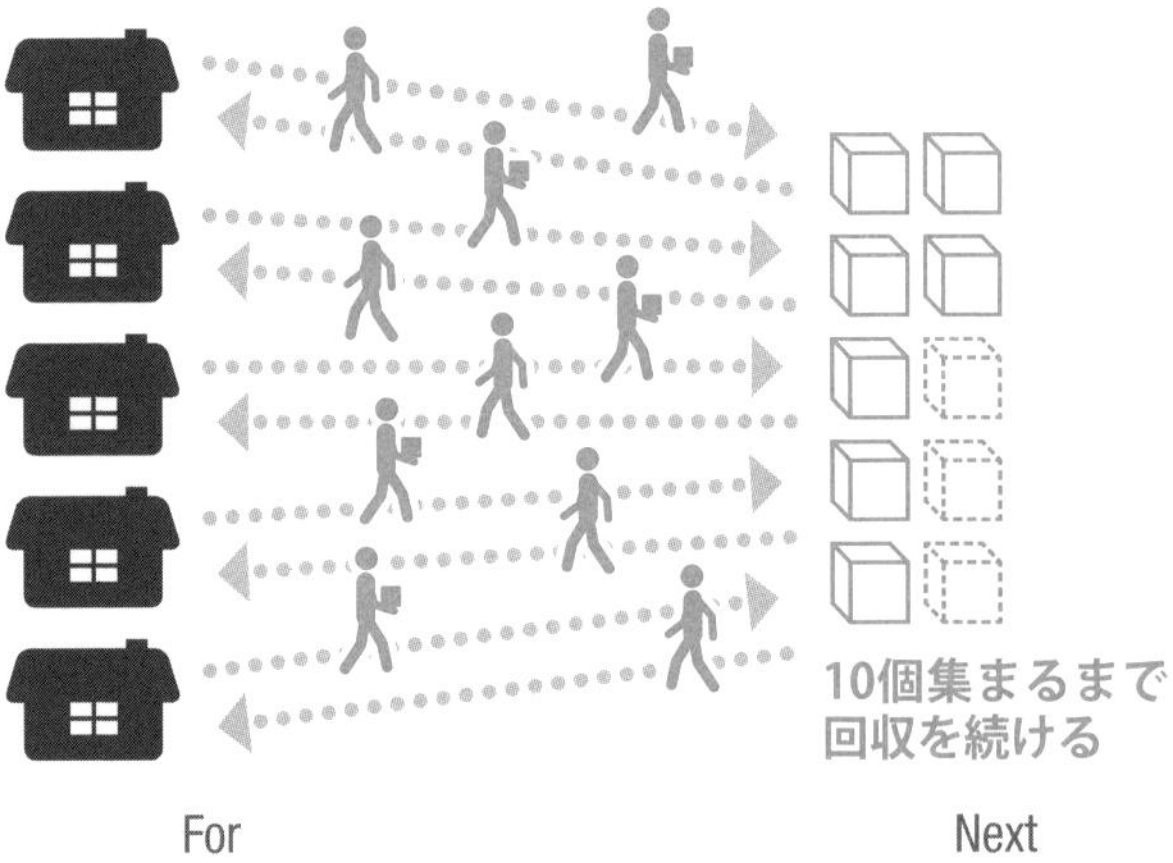

11 これがわかればプログラミングはわかる

プログラミングで使う3つのツール

プログラミングでは必ず出てくる「変数」「関数」「演算子」。これが初心者にはわかりづらい。「変数」は数字というわけではなく、いろいろなモノを収めたボックスファイルのようなものだ。変数という名前のイメージとはだいぶ異なる。

変数の箱には数字や英文のみならず漢字や記号、さらに日付や画像のようなデータも収容可能で、状況に応じて箱から引き出すことも可能だ。

数学で習う「変数」とは異なるものだから、数値ではないと捉えたほうがよいだろう。

コンピューターは動きを変数名で記憶しているので、変数を使えばいちいち動き方を指示しなくてすむという利点がある。

変数の宣言とはラベルの名前付け

面倒な作業は変数としてコンピューターに記憶させておけば、プログラミングがはかどる。

変数の名前は自由に付けることができる。変数の名前を付ける作業を「変数を宣言する」という。

変数は箱であり、「変数を宣言する」とは箱にラベルを付けることと考えてもらってよい。

箱には複雑なプログラムやデータなどいろんなモノを入れることができる上、必要に応じて入れ替えることもできる。例えば、月次の売上データのように毎月変化するデータも、変数の箱の中に入れて名前を指定しておけば、いちいち新しいデータを取りに行かなくてもコンピューターが常に最新のデータを持って来てくれる。

プログラミングの変数

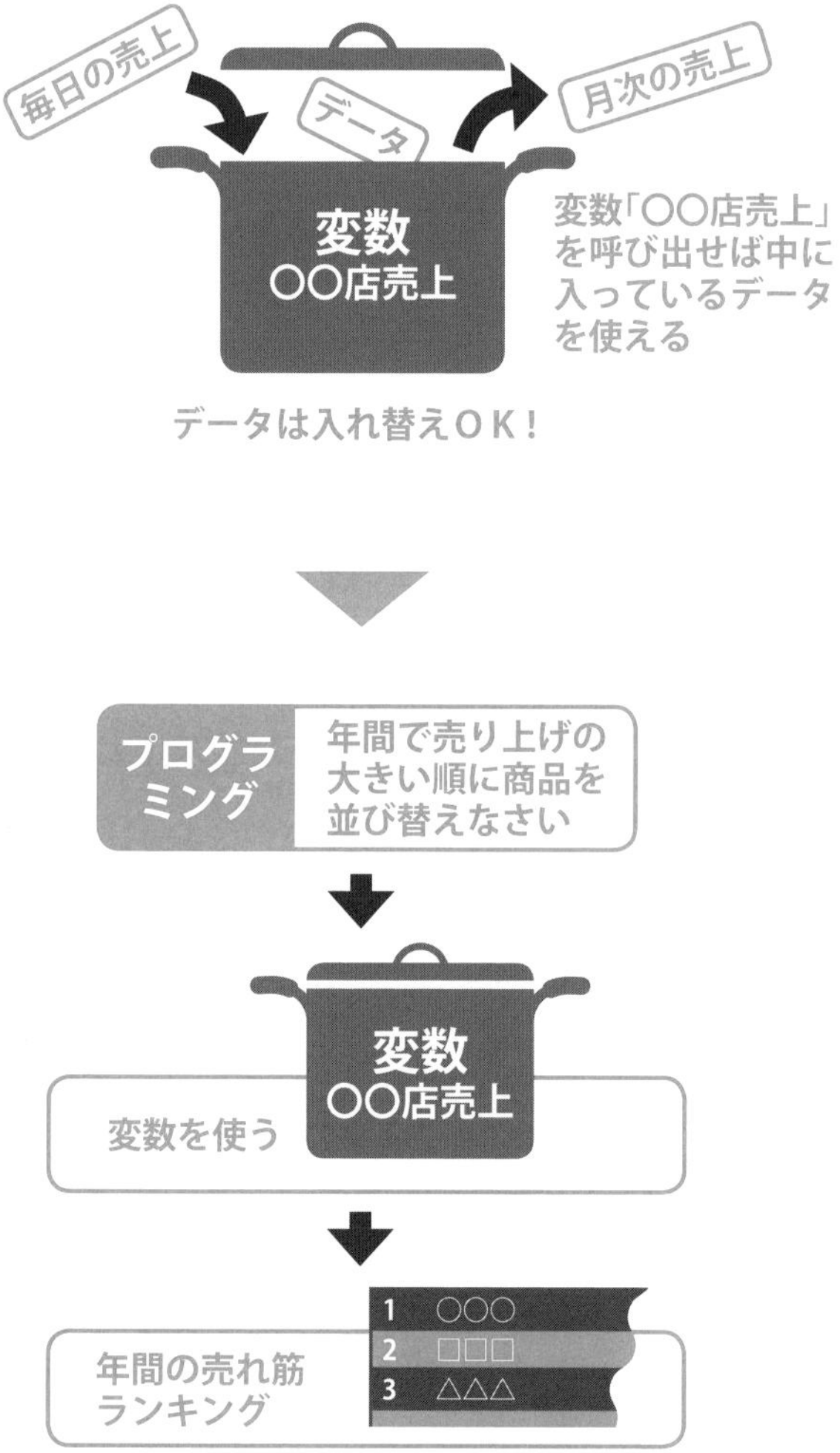
毎日の売上
データ
月次の売上
変数
○○店売上
変数「○○店売上」を呼び出せば中に入っているデータを使える
データは入れ替えOK！
プログラミング
年間で売り上げの大きい順に商品を並び替えなさい
変数
○○店売上
変数を使う
年間の売れ筋ランキング
1 ○○○
2 □□□
3 △△△

12 関数はよくできるアシスタント
よく使う機能をまとめるのが関数

エクセルの「関数」は多くの人が目にしているはずだ。意識していなくても、おそらく日常的に何度も関数を使っているだろう。

エクセルの関数は、それだけでプログラムである。したがって、表計算など関数を使った作業をしている人は、知らず知らずのうちにプログラミングをしていたと言ってもよい。

関数というと、数学の一次関数、二次関数などが思い浮かぶだろう。だがプログラミングの関数は、むしろ数学の関数とは異なるものと意識したほうがよい。

y=f(x) という数式ではあっても、プログラミングの関数は、むしろ「入力した数字や文字を指定した形に直して返してくれる機能」である。

入力した値を変換して返してくれる

例えば、英語で入力した言葉を日本語に翻訳して返す機能も関数だ。関数も変数と同様、数字だけではなく、文字や日付も扱える。

たとえば表計算で、合計を計算するときに、いちいちすべてのセルに（＝A1＋A2＋……）と式を打ち込まなくても「オートSUM」ボタンでさっと計算できる。

これも関数の機能だ。関数とは、よく使う機能をまとめる便利な機能であり、プログラマーにとって力強い味方である。

関数も、名前を付けてコンピューターに覚えさせることで、必要なときに呼び出し、その機能を実行させることができる。

プログラミングの関数

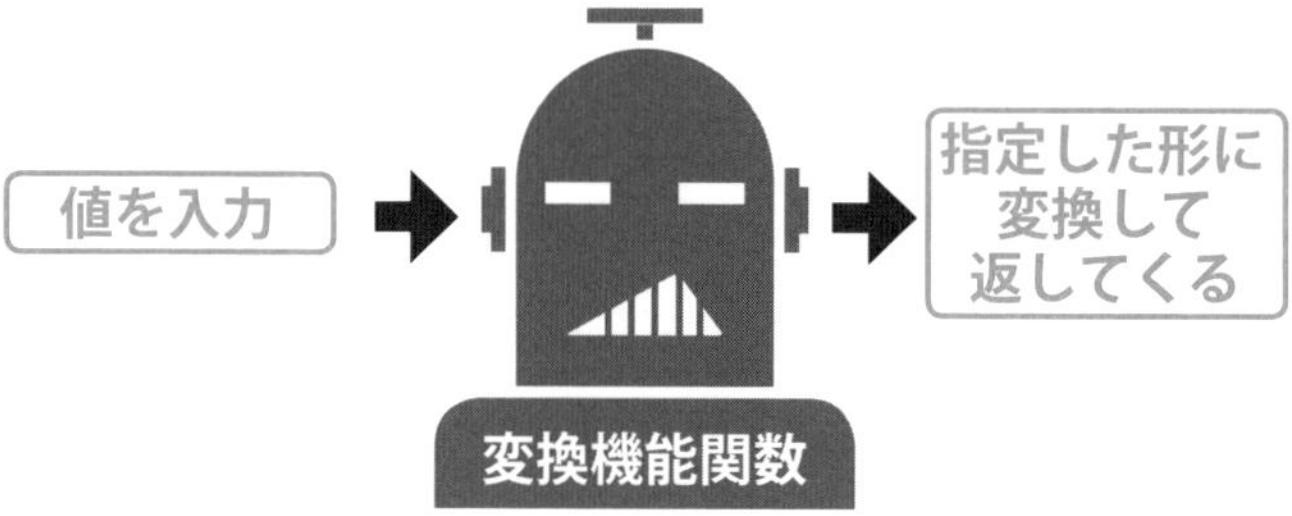
値を入力
変換機能関数
指定した形に
変換して
返してくる

関数
英文小文字
入力
英文小文字は
全て大文字に
大文字で
表示

13 演算子が読めればプログラムは読める

演算子には3つある

プログラミングの3つのツールのうち、最も一般になじみのない用語が「演算子」だろう。

ただ、変数、関数がなまじ過去に聞いた覚えがある分、かえってその本質が見えにくいのに反して、そもそも何のことかわからない演算子のほうが混乱は少ないかもしれない。

例えば、日本とアメリカの数年にわたるGDPの動きを知りたいとき、「GDP　日本　アメリカ　推移」というように、各検索ワードの間にスペースを取るだろう。

このスペースを、コンピューターは「And」と認識している。このAndが、3つの演算子のうちの「論理演算子」と呼ばれるものだ。

論理演算子は「And」や「Or」で、プログラミングには頻繁に出てくる。

等式、不等式も演算子

プログラミングで頻繁に出てくるその他の演算子として、「=」や「>」がある。これら等式、不等式は、選択構造の中で「もし1と同じ値だったら」「もし1より大きかったら」といった条件設定でよく使われる。

これらを「比較演算子」という。

ただしVBAでは、「=」は別の意味で頻繁に使われる。等式（イコール）ではなく「代入」として使われるのである。

例えば、変数名が「日付」で、変数の中味が「今日の年月日を返してくれる機能」という関数

プログラミングの演算子

算術演算子 足し算「+」 引き算「−」 かけ算「*」 割り算「/」

比較演算子 不等式「>」 等式「=」

論理演算子 And Or

算術演算子

Excelのセル D1の指定

セルD1 = セルA1 + セルA2 + セルA3

比較演算子

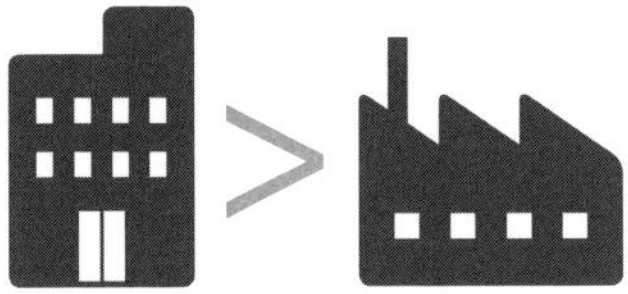

顧客A 顧客B

顧客Aは顧客Bより上位

論理演算子

生産性 And 耐久性 両者を兼ね備えることが条件

低価格 Or 高品質 いずれかの条件を満たすもの

であるとしたとき、プログラミングでは〈日付＝今日の年月日を返してくれる関数の値〉という記述になる（※実際のプログラムは日本語ではできない）。

　このときの「＝」は「等しい」ではなく、「日付は今日の年月日を返してくれる関数の値」という意味だ。

「＝」が等式か代入かはプログラミングの文脈で判断するしかないが、コンピューターはこの判断が瞬時にできる。

　3つめはいわゆる加減乗除の記号だ。「＋」「－」「＊」「／」である。

　これら数式の記号のことを、「算術演算子」と呼ぶ。算術演算子も、プログラミングではよく出てくるものだ。

　演算子は名前こそ聞きなれないが、プログラミングのツールの中では最もわかりやすい。

第**2**章

実物ＥＸＣＥＬプログラミング講座

会議・ミーティング、プレゼン資料を一発で作る

この章で使うEXCELデータ

- 同一書式のブック
- 月次の売上ファイル

ライブラリの参照

- Microsoft WMI Scripting V1.2 Library
- Windows Script Host Object Library

01

VBAの順次構造を学ぼう

支店ごとのファイルへ一斉に同じデータを書き込む

支店や営業所ごとの売上表や、工場や店舗ごとの労務管理表、従業員名簿、それにエリアごとの顧客管理表などは、同じ書式で複数のシートとして存在する。

こうした同一書式のシートを、一斉に変更しなければならないケースがある。

たとえば、ひと頃はやった市町村合併で住所の表記が変わる、支店名や営業所名が変わる、結婚等によって社員の姓が変わる、顧客先の社名が変わるなどである。自分の会社の名前が漢字表記からカタカナ表記に変わることもあるだろう。

そして、最も影響が大きいことのひとつが、改元である。

他のケースでも容易に応用が可能

こうした変更は一部ではあるものの、影響がファイル全体に及ぶ。このような場合、いちいちファイルを開いて変更していては大変だ。

こんなケースでは、プログラミングによって同一フォルダ内の同一書式のシートをいっぺんに変更する方法を知っておくと便利だ。

ここでは日付の変更という簡単なケースを取り上げているが、日付は文字列なので、社名の変更や市町村名の変更などでも、プログラムの構造は変わらない。セルの位置指定と変更する文字を変えるだけなので、容易に応用が可能である。

ブック内のファイルをひとつ開き、マクロを呼び出してプログラミングするのが手順だ。

複数のファイルへ同じ情報を流し込む

マクロを実行すると

複数のファイルへ一度に同じ情報が記入される

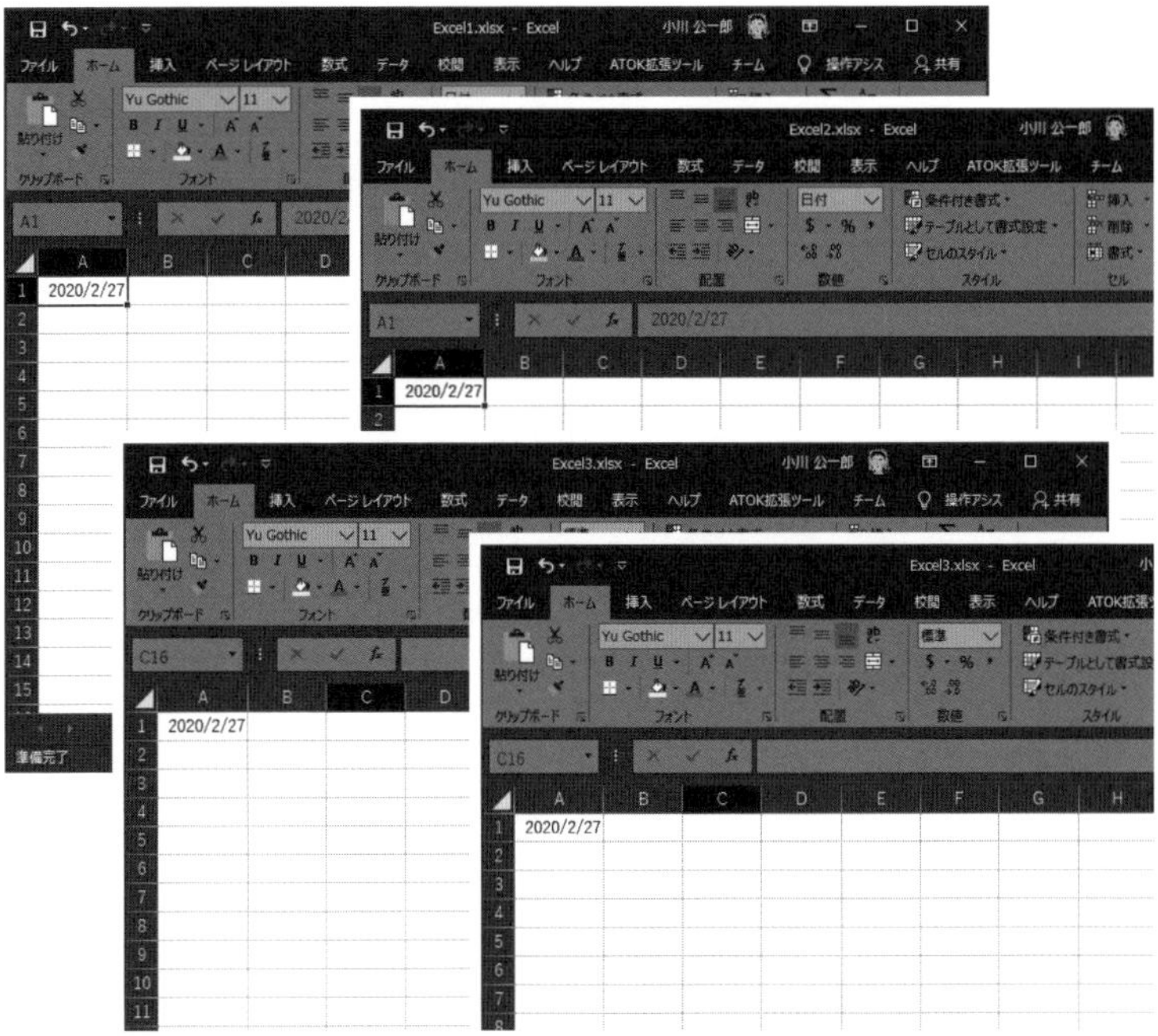

コンピューターは振り返らない

このプログラムを他のケースに応用するときには、①で＝"2020/2/27"の部分の文字を変え、その前のWorksheets(1).Cells(1, 1).Valueの（ ）内のセルの列と行の位置を指定する数値を変えればよい。

このプログラムでは、Sub WriteCell() から End Sub までを、コンピューターはプログラムと認識する。

コンピューターは、プログラムを上から順番に読む。この構造はどのコンピューター言語でも変わらない。変数や関数のことはきちんと記憶するが、ひとつ前の行で何をしたかはまったく気にしないし、けっして振り返ることもない。

ここが、人間とコンピューターの決定的な違いと言えるだろう。

だから、変数の中味を途中で変えても、コンピューターはまったく迷うことなく、新しい変数の中味で作業が行える。

順番に読むか、ジャンプするか

変数の宣言の下の行では、変数の代入を行っている。プログラミングでは、「ファイルパス」、「ファイルネーム」という言葉が頻繁に出てくるが、ファイルパスとは住所であり、ファイルネームとは部屋番号と氏名と捉えればよい。

❶ Do While vrtFn <> "" から❷ Loop までは反復構造だが、コンピューターにとっては同じ作業の繰り返しではなく、Loop まで来たら While までジャンプして、次に処理するファイルがあるか判断する。そこからまた上から順に読んで Loop に来たらまたジャンプ、ということになる。

反復構造では、どのタイミングで反復を終了させるかがプログラミングの肝となる。

```
Sub WriteCell()
    Dim vrtFn As Variant            'ファイル名称
    Dim strFp As String             'ファイルパス

    '元ファイルと同一のフォルダ内のパスを保存
    strFp = ThisWorkbook.Path & "¥"
    vrtFn = Dir(strFp)

    Do While vrtFn <> ""
        'ファイルを開く
        Workbooks.Open Filename:=strFp & vrtFn
        Workbooks(vrtFn).Activate
        '一番目のシートのA1セルに日付を入力
        Worksheets(1).Cells(1, 1).Value = "2020/2/27"
        'エクセルを保存
        ActiveWorkbook.Save
        '次のファイル名を取得
        vrtFn = Dir()

    Loop

End Sub
```

マクロ名（WriteCell）

Sub WriteCell()：プログラム開始の指示

Dim vrtFn～／Dim strFp～：変数の宣言

日本語はメモ
'以後はコンピューターはプログラムと認識しない

strFp = ～／vrtFn = ～：変数の代入

Do While vrtFn <> ""：❶繰り返し作業＝順次構造の繰り返し

Do While～Loop：反復構造

"2020/2/27"：この日付が各シートに入る
①日付を社名や元号に変えることも可能

""でくくるとコンピューターは文字列と認識する

Loop：❷Loopまで来たら❶まで戻って再び上から下へ作業を行う

End Sub：プログラム終了の指示

02

VBAの反復構造を学ぼう

月次の売上ファイルをひとつのファイルにまとめる

手順は、まず新規にエクセルファイルを開き、Alt ＋ F8 キーでマクロのダイアログボックスを開く。マクロ名の欄に名前（ここではAddSheetFromBook）を書き込み、作成のボタンをクリックすると、プログラミング用の画面が開く。

プログラミング後、エクセルに戻って Alt ＋ F8 キーを押すともう一度マクロのダイアログボックスが現れるので、実行ボタンをクリック。

次に、ひとつにまとめたいファイルを選び「開く」ボタンをクリック。すると各ファイルに含まれるすべてのシートがひとつのファイルのタブに追加される。

反復動作はコンピューターの得意分野

エクセルで作成された売上データはブックとして保存される。

毎月の売上管理をエクセルで行っている会社は多い。たとえば、それぞれの店舗ごとに管理していたエクセルの売上表を、ひとつのファイルにまとめたい。そういう場合、手作業だとA店のファイルを開き、次にB店のファイルを開き…と、いちいちファイルを開いてはデータをコピーし、ひとつのファイルに移さなくてはならない。

そういうことはコンピューターにやらせよう。このプログラムでは、複数のエクセルファイルを一気にひとつのファイルに移すことができる。

複数の売上ファイルを
ひとつのファイルにまとめる

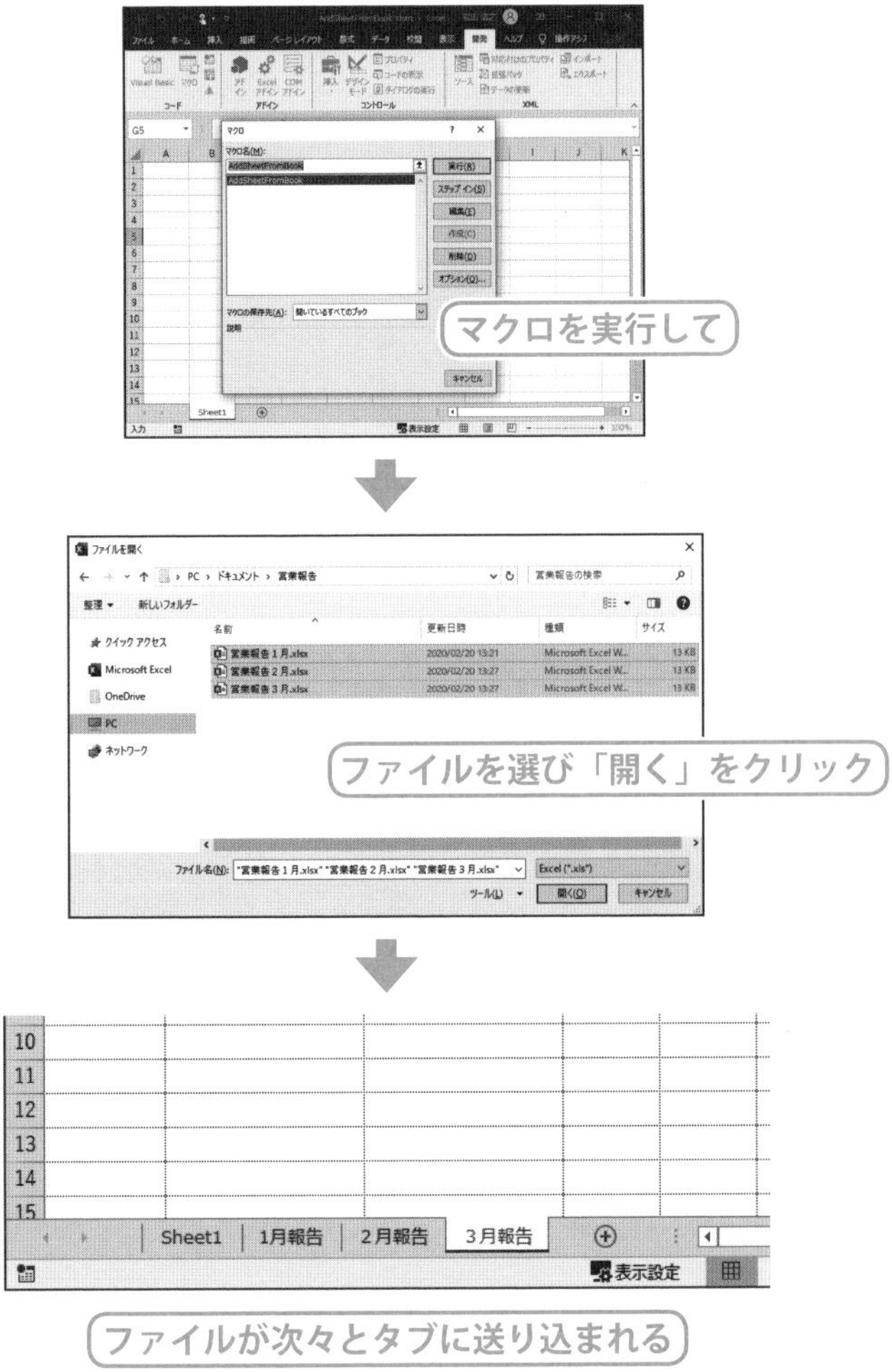
マクロを実行して
ファイルを選び「開く」をクリック
Sheet1
1月報告
2月報告
3月報告
ファイルが次々とタブに送り込まれる

反復構造の2重構造

マクロ名の AddSheetFromBook は、マクロダイアログであらかじめマクロ名を入力していれば、プログラミング画面に Sub AddSheetFromBook() と表示される。

その下の4行が変数の宣言である。

次いで、変数 vrtFp にファイルダイアログで選んだ複数のファイルを配列で代入する。

このプログラムでは、① For Each vrtFn In vrtFp と、その2行下に❶ For Each wksWs In wkbBk.Worksheets の2つの For がある。

最初の For は、下から3行目の② Next vrtFn との間の繰り返しを指示し、下の For は❷の Next wksWs との間の作業の繰り返しを指示している。

つまり、反復構造の中に反復構造がある、というプログラムとなっている。

反復構造はプログラミングの省エネ

最初の反復は、データをコピーするワークブックを順番に開いて、「ある作業」が終わったら閉じて次のブックを開く、ということを繰り返している。

反復構造の中の反復は、「ある作業」の繰り返しを指示している。「ある作業」とは、ワークブックの中のワークシートを順番に開き、コピー先のシートに順番に貼り付ける（タブが増える）という作業を繰り返すことだ。

もし反復構造がなければ、最初の繰り返しはワークブックの数だけ同じプログラムを何回も書き込まなければならないし、2つめの繰り返しもワークシートの数だけ同じ指示を書き込まなければならない。

反復構造はプログラミングを軽くしてくれるのである。

```
Sub AddSheetFromBook() プログラミング画面に自動的に表示される

    Dim vrtFp As Variant           'ファイルパス配列
    Dim vrtFn As Variant           'ファイル名
    Dim wkbBk As Workbook          'コピー元のワークブック
    Dim wksWs As Worksheet         'コピー元のワークシート
                                   （変数の宣言）

    'ダイアログボックスで複数ファイルを選択する
    vrtFp = Application.GetOpenFilename("Excel,*.xls*", MultiSelect:=True)

    '選択できていれば配列になっている
    If IsArray(vrtFp) Then

      'ファイルを選択した分だけ繰り返す
      For Each vrtFn In vrtFp      ①

         'コピー元のワークブックを開く
         Set wkbBk = Workbooks.Open(vrtFn)

         '開いたブックに含まれるワークシートの分だけ繰り返す
         For Each wksWs In wkbBk.Worksheets      ❶

            'コピー先のワークシート右にコピー元のワークシートをコピー
            wksWs.Copy after:=ThisWorkbook.Worksheets(ThisWorkbook.Worksheets.Count)
                                                  ❷
         Next wksWs                              この間の作業を繰り返す

         'コピー元のワークブックを閉じる
         Application.DisplayAlerts = False
         wkbBk.Close                             ❶～❷を含めこの間の
         Application.DisplayAlerts = True        作業を繰り返す
                                   ②
      Next vrtFn
    End If

End Sub    プログラミング画面に自動的に表示される
```

03

月次の売上シートのデータをひとつのシートにまとめる

VBAの反復構造を学ぼう

このプログラムで作るエクセルのシートは、前項の「複数のブックをひとつのファイルにまとめる」の発展形と言える。

前項のプログラミングは、店舗や支店ごとの売上表をひとつのシートのタブに収め、必要に応じて開くことができるようにするものだった。

ここでは、その「タブにあるデータをひとつのシートに並べて表示する」という指示をプログラミングする。ひとつのシートに並べることによって、一覧性を持たせるのだ。

ここでは、出勤簿を社員別に並べるというケース（左ページの図）を表示しているが、店舗や支店の毎月の売上表を並べて一覧にするのも同じことだ。

ブックにまとめたエクセルがあると作業が楽

複数のファイルにまたがったシートをひとつにまとめるのは、それぞれのファイルを開き、シート上のデータをコピーし貼り付ければ手作業でもできる。

しかし、それではいかにも手間がかかる。

やはりプログラミングでコンピューターにやらせたほうがスマートな仕事と言えるだろう。

そのとき、あらかじめブックにシートのタブがあれば、コンピューターはあちこち探しまわらずにすむし、プログラミングするときもファイルの指定が簡単にできる。

そういう意味でも、このプログラムは前項のプログラムの発展形と言える。

複数の売上シートを
ひとつのシートにまとめる

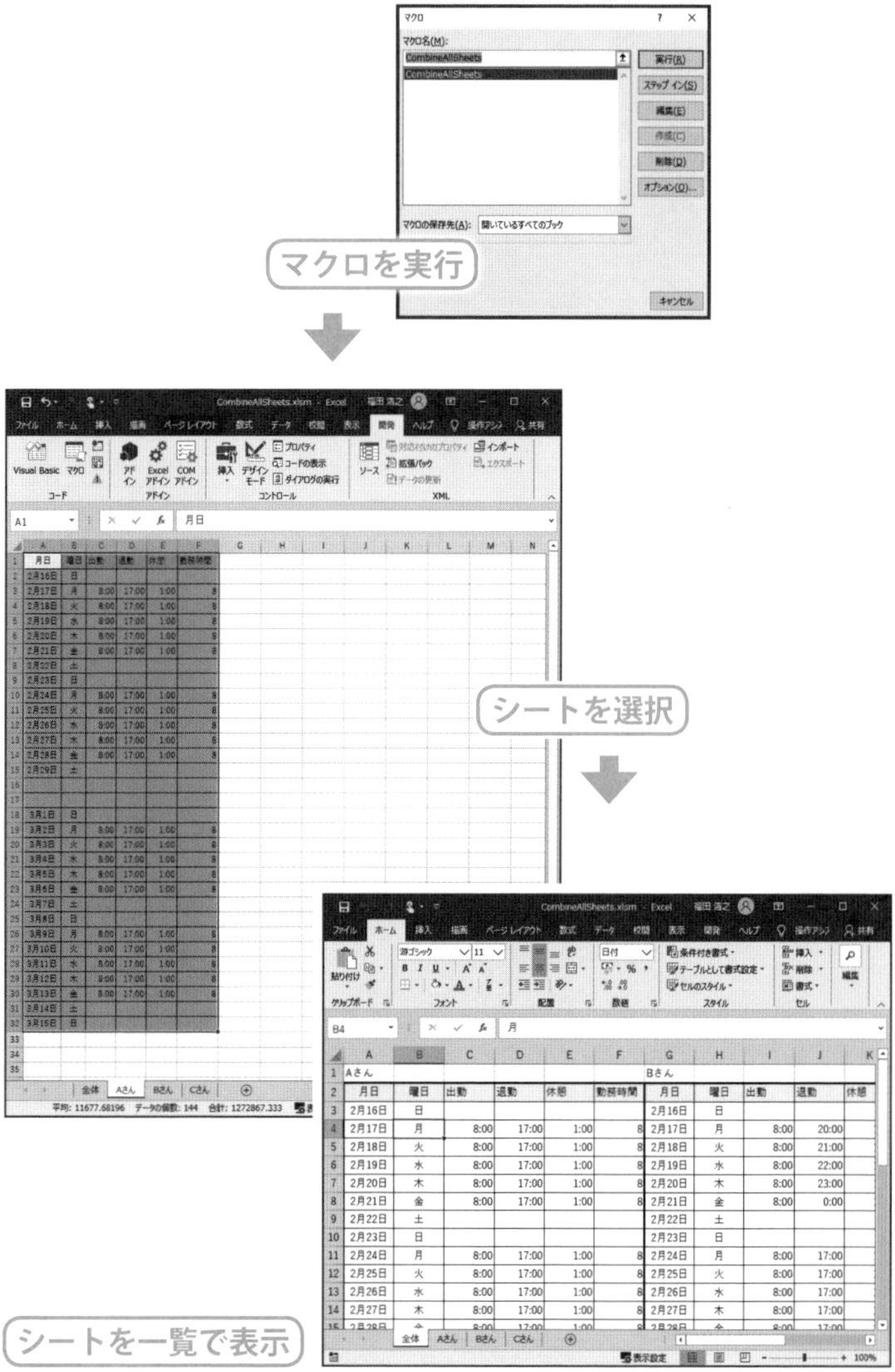

空のエクセルワークシートを開く

まずブック内に新しくシートを開き、マクロの設定を行う。このシートは空でなければいけない。カーソルはA1に置く。

このプログラミングでは、あらかじめコピーしたいシートの範囲を指定する。

それがConst cntRn As String = "A1:F32"だ。Constは固定値で、セルのA1からF32までの範囲を示している。この範囲がデータをコピーする範囲である。

無論、すべてのデータがこの範囲内に収まっていることが前提だ。そのためには、売上表なり出勤簿なりの書式が同一であることが必要となる。

次のDim wksWs As Worksheetは変数の宣言である。

①のRange("A1").Activateは、カーソルをコピー先のシートのこの位置（A1のセル）に持って来るということだ。データはA1の1行下にコピーされる。

範囲を指定してコピーペーストを繰り返す

For Each wksWs In ThisWorkbook.WorksheetsからNext wksWsまでが、反復する作業の中味である。

If Not(wksWs Is ActiveSheet) Thenとあるので、ActiveSheet（いま開いているシート）以外のブックを対象にデータのコピーを繰り返すことになる。

②は、コピーしたデータを貼り付ける場所である。A1の行の1つ下が貼り付ける場所だ。A1の行にはシートの見出しが入る。

③は、次のデータは隣に貼るという指示である。このコピーと貼り付けの作業を、ブック（タブ）の数だけ繰り返す。それがここでの反復である。

```
Sub CombineAllSheets()

    Const cntRn As String = "A1:F32"            'コピーしたいデータの範囲
          固定値              セルの範囲
    Dim wksWs As Worksheet                      'コピー元のワークシート

    '先頭のセルをアクティブ
    Range("A1").Activate  ①カーソルをコピー先のシートのA1のセルへ

    'ブックに含まれるワークシートの分だけ繰り返す
    For Each wksWs In ThisWorkbook.Worksheets

        'アクティブシートでは処理しない
        If Not (wksWs Is ActiveSheet) Then

            '一行下にオフセットしてコピー
            wksWs.Range(cntRn).Copy ActiveCell.Offset(1, 0)  ②セルA2の行に
                                                              データをコピペ
            'オフセットした行に見出しとしてシート名を記入
            ActiveCell.Value = wksWs.Name

            'コピーのスタート位置をデータの列数分進める
            ActiveCell.Offset(0, wksWs.Range(cntRn).Columns.Count).Activate

        End If                                  ③ ②の隣にカーソルを移動
    Next wksWs

End Sub
```

この間の作業を繰り返す

04

VBAの反復構造を学ぼう
ファイル内の全シートを一覧する目次を作る

エクセルのブックは、本の形こそしていないが、タブにあるシートが本の中味のページであり、仮にタブのシートを全部出力して束にすれば、ページ数の多い少ないはあっても、それが一冊の本となることは確かだ。

一冊の本ならば、当然ながら目次があったほうがよい。

エクセルの設計者は、きっと「タブこそが目次だ」と考えていたのだろう。

だが、やはり目次は1シート使って表記されていたほうが目次らしい。

普段から見慣れている形で見せるのも視覚化の技術のひとつである。そこで、ここではブックの内容を一覧できる目次作りをプログラムしてみた。

手作業を自動化へ

もちろん、これは手作業でもできる。

しかし、いちいちタブのシート名を打ち込んで、あるいはコピーして目次を作るのは手間だろう。

それに、目次とシートはリンクを張り、目次からシートへ飛んで行けるようにもしたい。

このマクロのプログラムでは、シート名を一覧にして目次としてくれるし、目次からシートへ飛ぶリンクも自動でやってくれる。

まずブック内に新しいシートを作成し、カーソルをA1に置く。次に、そこからAlt＋F8キーでマクロを呼び出し、マクロ名（ここではCreateSheetList）を付けて「作成」ボタンをクリック、プログラミング画面を開く。

Excelのシート名を一覧の目次にする

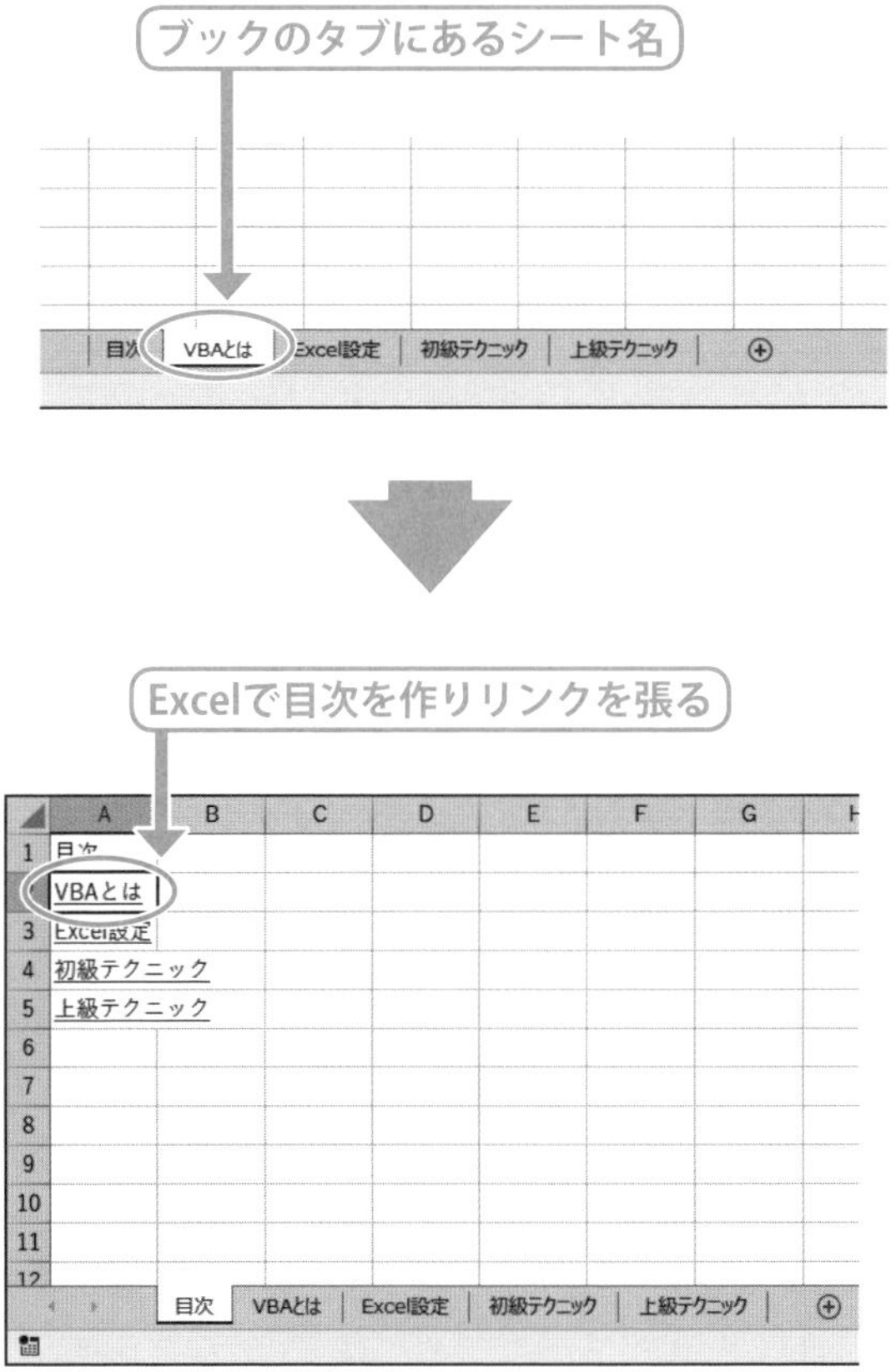

反復の指示はひとつではない

このプログラムでは、For Each wksWs In Sheets から④の下の行 Next wksWs までの作業（プログラム）を繰り返す。For から Next までが反復の範囲である。

しかし、この後のプログラムでも出てくる通り、反復の指示は For と Next だけではない。他にもいくつかあり、本書で紹介しているのは、While ともうひとつ、Do While だ。

While は Loop と対になって、反復開始と反復終了の範囲を示す。Do While は Wend と対をなす。いずれも反復する作業の範囲を指定したものだ。

人間ならやらないことも

変数の宣言 Dim wksWs As Worksheet の下にある①は、目次を作成しているシート（いま開いているシート）のことだ。

②はブック内のすべてのシートを対象に作業を繰り返すことを指示している。ただし、いま開いているシートは繰り返し作業の対象とはしない。そうでないとき（Else）、つまり、シートがいま開いているもの以外のときには作業を行う。

タブのシート名を新しいシートの定められたセルにコピーし、シート名には下線を引き、青色（5 が青色を意味する）で表示し、シートとリンクを張る。以上の指示が③のブロックである。

④はひとつのシート名を新しいシートにコピーしてリンクを張ったら、その下の行に移って次のシート名をコピーして同じ作業を繰り返すための処理だ。

次の作業も If の確認からはじまる。人間なら同じことを何度も確認したりしないが、機械はそれをやるのである。

```
Sub CreateSheetList()

    Dim wksWs As Worksheet          'ブック内のワークシート

    '先頭のセルをアクティブ
    Range("A1").Activate            カーソルを新しいシートのA1に置く

    '全シートを検索
┌   For Each wksWs In Sheets        反復開始の指示
│
│       'アクティブシートにはリンクを張らない
│   ┌   If wksWs Is ActiveSheet Then        ①目次シートにはリンクを張らない
│   │       '名前のみ
│   │       ActiveCell = wksWs.Name
│   │   Else                                ②目次シート以外、つまりブック内の
│   │       'シートのリンクを表示              すべてのシートにリンクを張る
反  │       ActiveSheet.Hyperlinks.Add Anchor:=ActiveCell, _
復 ③           Address:="", SubAddress:="'" + wksWs.Name + "'!A1", TextToDisplay:=wksWs.Name
構  │       '下線を付ける
造  │       ActiveCell.Font.Underline = xlUnderlineStyleSingle
│   │       '青文字にする
│   │       ActiveCell.Font.ColorIndex = 5
│   └   End If
│
│       '一行下へ
│       ActiveCell.Offset(1, 0).Activate    ④目次の１つ下の行に移って
│                                             ①〜③の作業を繰り返す
└   Next wksWs    次のシートへ

End Sub
```

05

指定したファイルが本当に存在するかを確かめる

VBAの選択構造を学ぼう

本書の中でも、シートをひとつのエクセルブックにまとめる作業や、まとめたシートのデータを図形化・グラフ化するプログラムをいくつか紹介しているが、その際、説明をわかりやすくするために、諸々の前提条件は整っているものとして話を進めている。

だが現実には、そうした前提条件がそろっていることはむしろ珍しい。

したがって、こうした作業で実際に最初にやらなければならないのは、そもそも指定するファイルが存在するのかどうかをチェックすることだ。

ファイルパスをコピー

ファイルがなければファイルの統合はできないし、ファイルにデータがなければ統合しても意味がない。

ファイルの存在の有無、データの有無を確認するには、まず新しいシートの作成からはじめる。

新しいシートを開いたら、セルのA列1行目に「ファイルパス」、B列1行目に「存在チェック」と記入する。

次に、ファイルパスをA列2行目以降に貼る。

ファイルパスのコピーは、エクスプローラー上でコピーしたいファイルを Shift ＋ 右クリックで選択し、表示された一覧から「パスのコピー」をクリックし、エクセルのワークシートに貼り付ける。

そこまで準備ができたら Alt ＋ F8 キーで

指定したファイルの存在の有無をチェックする

ファイルパスをコピーしたチェック表を作り

	A	B
1	ファイルパス	存在チェック
2	C:¥Users¥Documents¥営業報告¥営業報告 1 月.xlsx	
3	C:¥Users¥Documents¥営業報告¥営業報告 2 月.xlsx	
4	C:¥Users¥Documents¥営業報告¥営業報告 3 月.xlsx	
5	C:¥Users¥Documents¥営業報告¥営業報告 4 月.xlsx	
6		
7		
8		
9		
10		

マクロを実行すると存在の有無が表示される

	A	B
1	ファイルパス	存在チェック
2	C:¥Users¥Documents¥営業報告¥営業報告 1 月.xlsx	存在する
3	C:¥Users¥Documents¥営業報告¥営業報告 2 月.xlsx	存在する
4	C:¥Users¥Documents¥営業報告¥営業報告 3 月.xlsx	存在する
5	C:¥Users¥Documents¥営業報告¥営業報告 4 月.xlsx	存在しない
6		
7		
8		
9		
10		

マクロを呼び出す。

データがある間は作業を繰り返す

左ページのプログラムでは、①でファイルパスの記入されたA列2行目のセルをスタート地点としている。

前項では、シートの数で反復構造の繰り返しの回数を限定していたが、②はあらかじめ反復構造の条件を設定している。

作業を繰り返す条件を、いま開いているシートの選択しているセル（ActiveCell）に、値（ファイルパス）があったら、としている。

したがって、すべてのファイルパスをチェックすれば、次の行のセルは空なので、そこで繰り返し作業は終了となる。

中味の有無を確認する

選択構造はIfからはじまる。

If Dir（ActiveCell.Value）<> "" Then とは、もしファイルパスが存在すれば、という意味で、存在すれば ActiveCell.Offset(0, 1).Value = "存在する" という指示が実行されて、存在チェックの欄に「存在する」が表示される。

もし、ファイルパスにファイルがなければ Else（そうでなければ）となり、そのときは「存在しない」というメッセージが表示される。

If Dir（ActiveCell.Value）<> "" Then の Dir は、ファイルの有無を判断して返してくる関数で、ファイルが存在しないときには空《カラ》を返してくる。<>の意味は Not で、"" は中味が空ということだから、ファイルが存在するときは次の作業をする、ということになる。

```
Sub FileExists()

    '２行目のセルを指定
    Range("A2").Activate      ①ファイルパスのリストの１行目は見出しなので
                                ２行目（A2）以降がチェック対象となる
    'セルに入力がある場合間処理を行う
    While Not IsEmpty(ActiveCell)     ②ファイルパスの記述がなくなるまで作業

選 ┌ If Dir(ActiveCell.Value) <> "" Then              Dir  関数
択 │     ActiveCell.Offset(0, 1).Value = "存在する"    <>   not
構 │ Else                                             ""   空白
造 │     ActiveCell.Offset(0, 1).Value = "存在しない"  ファイルがあれば
   └ End If                                           「存在する」、なけ
                                                      れば「存在しない」
        '次の行へ                                      と表示
        ActiveCell.Offset(1, 0).Activate
    Wend

End Sub
```

06

VBAの変数を学ぼう

使っているコンピューターの情報を一覧にする

社内の備品管理はすべての職場でやっていることだろう。パソコンの機種や購入した年月日などは、担当の部署で把握しているはずだ。

だが、OSやCPUの性能となると、なかなかそこまで管理しているところは少ない。

コンピューターの性能や情報通信の環境が目まぐるしく変わる現代では、既存設備で環境の変化に対応できるか、問題はないかをあらかじめ把握しておく必要もある。

とはいえ、社員それぞれのコンピューターのデータをいちいち調べるわけにもいかない。

そこで、使っているコンピューターの情報を引っぱり出し、エクセルで一覧表にするというプログラムが役に立つはずだ。設備のリニューアルを行うときなど、「使える」プログラムと言える。

PC情報を取得する段取り

ここでは、エクセルの立ち上げ、マクロの起動、プログラミング画面の立ち上げの後、プログラミング作業の前に参照設定をやっておく必要がある。

マクロのプログラミング画面の上部にあるツールから「参照設定」をクリックし、ライブラリの中のWindows Script Host Object ModelとMicrosoft WMI Scripting V1.2 Libraryにチェックを入れる。

そして、参照設定ボックスのOKボタンをクリックして、再びプログラミング画面に戻って作業開始だ。

使っている PC の情報を Excel で一覧にする

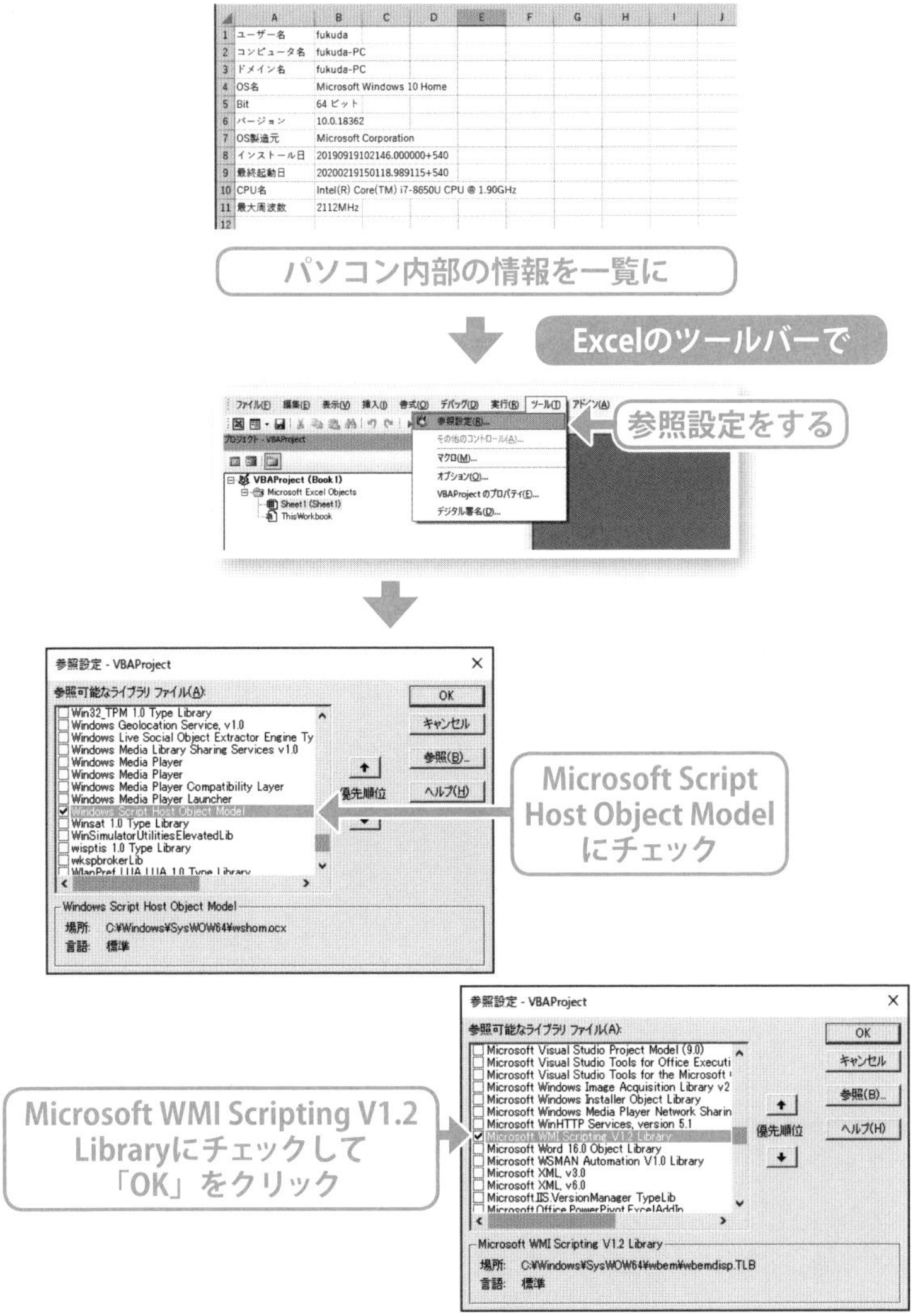

変数があると作業が楽

このプログラムは、基本的にウィンドウズのOSを想定している。マックなどウィンドウズ以外のOSの場合は、このプログラムのままでは動かない。

しかし、プログラミングの基本ルールに変わりはない。

ここでは変数は5つある。As の後ろはそれぞれPC用のオブジェクトの型ということだ。

wnwPc はウィンドウズから提供されたPC情報の中味である。その下の3行がPC情報の中のユーザー名、コンピューター名、ドメイン名を引っぱり出せ、ということである。

変数 wnwPc を使うことで表記が簡単になる。swlLc でもウィンドウズのオペレーティングシステムを引っぱり出すとしているので、次の swsSv では、「サーバーにつないでウィンドウズのオペレーティングシステムを引っぱり出す」という意味の指示を swlLc.ConnectServer と短く表記できるのだ。

変数の中味を入れ替えて続行

sosOs は、①と②の行にある。どちらも Set sosOs と表記は同じだが、その中味は異なる。

最初の sosOs は、中味がウィンドウズのオペレーティングシステムを呼び出すことだが、下の行にある sosOs の中味は、プロセッサーを呼び出すことだ。

プロセッサーを呼び出して、CPUの情報をあるだけ引っぱり出すのが、③のブロックで指示していることである。

変数は、同じ変数名でも、中味を入れ替えて何度も使うことができるのだ。

```
Sub GetPCInfomation()

変数の宣言
    Dim wnwPc As WshNetwork            'PC情報のオブジェクト

    Dim swlLc As SWbemLocator          'Wbem利用のためのオブジェクト
    Dim swsSv As SWbemServicesEx       'ローカルマシン内Wbemサーバ（WMI）
    Dim sosOs As SWbemObjectSet        '情報テーブル
    Dim soeOj As SWbemObjectEx         '情報取得後の結果
      Asの後は「型」を示す                       ※この段階では変数の中味はカラ
    '見出しを設定
    Range("A1").Value = "ユーザー名"
    Range("A2").Value = "コンピュータ名"   新しく作成するシートの見出し
    Range("A3").Value = "ドメイン名"

    'PCの情報を取得
    Set wnwPc = New WshNetwork                 変数wnwPcに最新のPC情報を導入
    Range("B1").Value = wnwPc.UserName
    Range("B2").Value = wnwPc.ComputerName      シートの見出しにユーザー名、コンピューター名、
    Range("B3").Value = wnwPc.UserDomain        ドメイン名を記入

    '次の行をアクティブ
    Range("A4").Activate

    'Wbemサーバーのサービスを開始
    Set swlLc = New WbemScripting.SWbemLocator       変数swlLcにWbemを導入
    Set swsSv = swlLc.ConnectServer                  swlSvはWbemを備えたswlLcとサーバー
                                                     をつなぐ変数となる
    'WMIのWin32_OperatingSystemクラスを読み出す設定
    Set sosOs = swsSv.ExecQuery("Select * From Win32_OperatingSystem")
      ①sosOsはswsSvの機能によってWin32_OperatingSystemを読み出す機能を持つ
    'インストールされているすべてのOSの情報を読み出す
    For Each soeOj In sosOs
        ' Win32_OperatingSystemクラスを使ってOS情報の取得
        '内容はWin32_OperatingSystem classのMSDN参照
        ActiveCell.Value = "OS名"
        ActiveCell.Offset(0, 1).Value = soeOj.Caption
        ActiveCell.Offset(1, 0).Activate
        ActiveCell.Value = "Bit"
        ActiveCell.Offset(0, 1).Value = soeOj.OSArchitecture
        ActiveCell.Offset(1, 0).Activate
        ActiveCell.Value = "バージョン"
        ActiveCell.Offset(0, 1).Value = soeOj.Version
        ActiveCell.Offset(1, 0).Activate
        ActiveCell.Value = "OS製造元"
        ActiveCell.Offset(0, 1).Value = soeOj.Manufacturer
        ActiveCell.Offset(1, 0).Activate
        ActiveCell.Value = "インストール日"
        ActiveCell.Offset(0, 1).Value = soeOj.InstallDate
        ActiveCell.Offset(1, 0).Activate
        ActiveCell.Value = "最終起動日"
        ActiveCell.Offset(0, 1).Value = soeOj.LastBootUpTime
        ActiveCell.Offset(1, 0).Activate
    Next soeOj

    Set sosOs = swsSv.ExecQuery("Select * From Win32_Processor")  ②変数の中味の入れ替え
    'インストールされているすべてのCPUの情報を読み出す               sosOsは①から変数の中味を
    For Each soeOj In sosOs                                          入れ替えている
        ' Win32_Processorクラスを使ってOS情報の取得
        '内容はWin32_Processor classのMSDN参照
        ActiveCell.Value = "CPU名"
③      ActiveCell.Offset(0, 1).Value = soeOj.Name
        ActiveCell.Offset(1, 0).Activate
        ActiveCell.Value = "最大周波数"
        ActiveCell.Offset(0, 1).Value = CStr(soeOj.MaxClockSpeed) + "MHz"
        ActiveCell.Offset(1, 0).Activate
    Next soeOj

End Sub
```

第3章

実物EXCELプログラミング講座

いつもの作業がぐーんとラクになる

この章で使うEXCELデータ

- 請求管理表
- 月次の売上集計表
- 住所録

EXCEL以外で使うもの

- 保存画像フォルダ

01

VBAの順次構造を学ぼう
ブックにあるデータから売上推移グラフを作る

プレゼンテーションの資料などは、視覚化したほうが聞くほうもわかりやすいし、話すほうも話しやすい。

毎月の売上管理をエクセルのワークシートで行っていて、ブックで管理している場合は、売上データから必要なデータを引っぱり出してきてグラフにすることができる。

タブの売上管理シートを一つひとつ開いて必要な値をコピーし、新しいシートに貼り付ける。この作業をシートの数だけ繰り返すのが手順であるが、数が多いとなかなか大変な手間になる。

このプログラムは、指定したデータを自動的にグラフ化するものだ。

シートは同一書式であること

プログラミングでまずやることは、売上管理のブックで新しいワークシートを作成することだ。

プログラミングを簡略化するには、エクセルのブックにある毎月の売上管理シートの書式が統一されていることが前提である。

ここでは、毎月の合計値を引っ張ってくることにしているが、合計値を記入したセルの位置が、30日の月と31日の月で上下にズレることになり、プログラミングも面倒なことになる。

同じ売上管理のシートは、同じ書式と同じルールで管理する、というのはプログラミング以前のビジネスの基本である。

Excelのデータから自動的にグラフを作る

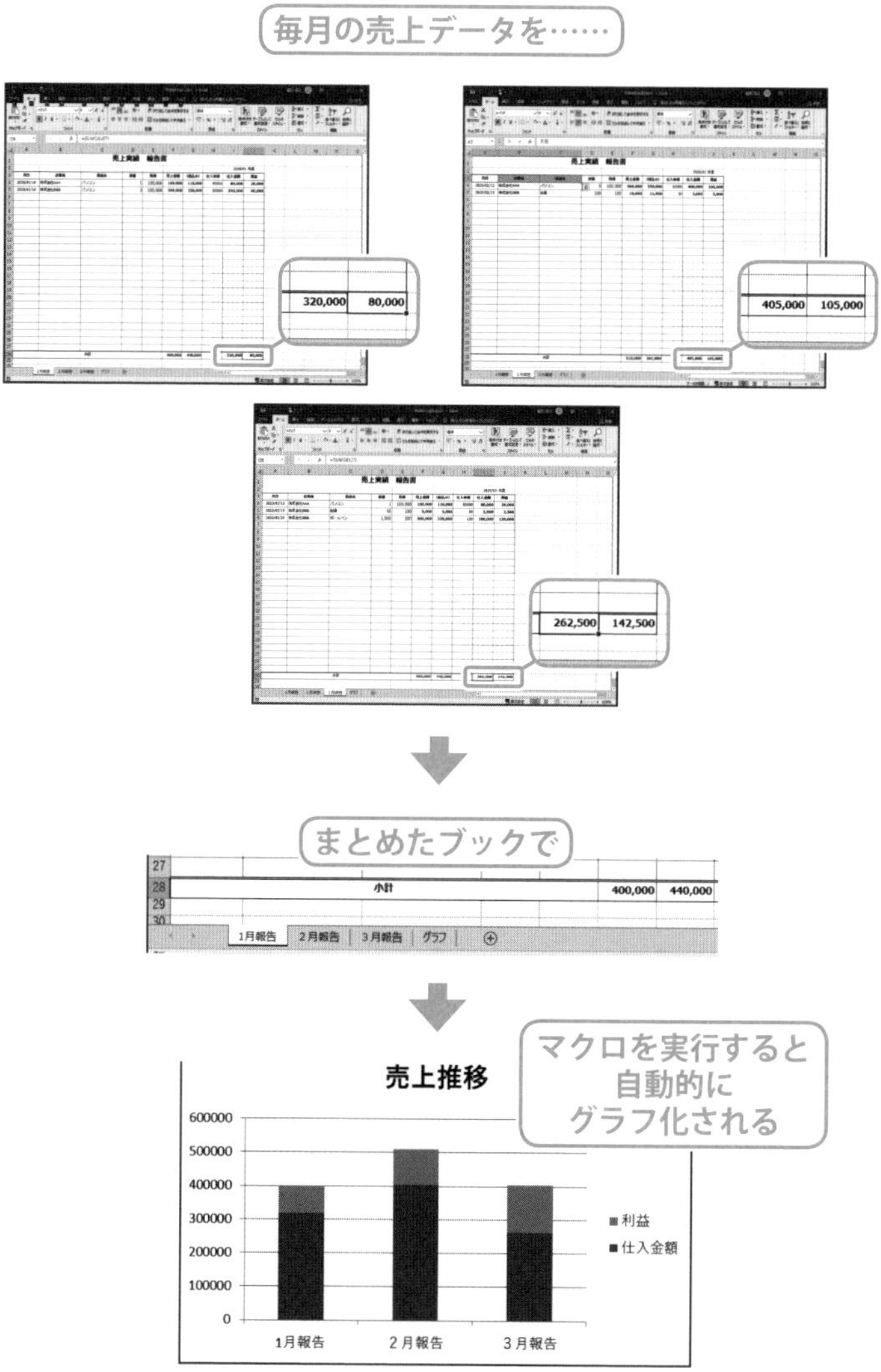

表作りからグラフ作りへ

プログラムは例外なく順次構造である。

コンピューターは順次構造で（上から順番に）コードを読むので、プログラミングではまずはじめに言っておくべきことから順番に書く。

このプログラミングでは、まずグラフ作成用のシートを作り、次にグラフを作成するように指示している。

シート作りからグラフ作りが、いわば順次構造の中味である。

グラフ作成用のシート作りとは、毎月の売上データを記録しているシートから必要なデータを引っぱり出し、グラフ作成用の新しいシートにデータを移すという作業だ。

グラフ作成とは、グラフ作成用のシートにあるデータから棒グラフを作るという作業である。

ブック内の全シートから値を自動取得

Sub MakeGraph() の下の2行は、必要なデータがブックにある毎月の売上管理シートのどこにあるかを指定している。ここではセル I28 と J28 が「仕入金額」と「利益」の場所だが、同一書式なら必要なデータは各シートとも同じ場所にあるはずだ。

新しいシートは「グラフ」と名付けられている（❶）。タブには「グラフ」と表記される。

❷はグラフのシートの形作りで、②と③でブック内にある毎月の売上管理シートにある仕入金額と利益の値を引っぱり出してグラフのシートに貼る作業を繰り返し、作成された表からグラフも作っている。

これでグラフのシートができたら、棒グラフの描画の指示、すなわち❸となる。グラフ描画の指示ができたら、あとは実行するだけである。

```
Sub MakeGraph() プログラム開始の指示
    Const cntPa As String = "I28"           '仕入金額
    Const cntPf As String = "J28"           '利益

    Dim wksWs As Worksheet        'ブック内のワークシート

    '新しくグラフ用のワークシートを作成
    Worksheets.Add after:=Worksheets(Worksheets.Count)  ①グラフ用のシートをブックに追加
    ActiveSheet.Name = "グラフ"  ❶追加シート名は「グラフ」

    '先頭のセルを指定して見出しを記入
    Range("A1").Activate
    ActiveCell.Value = "項目"
    ActiveCell.Offset(0, 1).Value = "仕入金額"
    ActiveCell.Offset(0, 2).Value = "利益"

    '次の行に移動
    ActiveCell.Offset(1, 0).Activate

    ' 全シートを検索
    For Each wksWs In Sheets
        'アクティブシート（グラフ）以外はデータを収集
        If Not (wksWs Is ActiveSheet) Then
            '各シートからデータを収集
            '項目
            ActiveCell.Value = wksWs.Name
            '仕入金額
            ActiveCell.Offset(0, 1).Value = wksWs.Range(cntPa)     ②仕入金額を取得
            '利益
            ActiveCell.Offset(0, 2).Value = wksWs.Range(cntPf)     ③利益を取得

            '次の行に進む
            ActiveCell.Offset(1, 0).Activate
        End If  ④ここまでがシート作り
    Next

    '形式を指定してグラフを作成
    ActiveSheet.Shapes.AddChart.Select  ❷グラフレポートを作成し選択
    ActiveChart.ChartArea.Left = 0
    ActiveChart.HasTitle = True
    ActiveChart.ChartTitle.Text = "売上推移"
    ActiveChart.ChartType = xlColumnStacked  ❸棒グラフを指示
    ActiveChart.SetSourceData Source:=Range("A1").CurrentRegion

End Sub プログラム終了の指示
```

グラフ用のシート作り

グラフ作り

02

VBAの反復構造を学ぼう

エクセルでオリジナルカレンダーを作る

エクセルのセルに日付を記入していけば、手作りカレンダーができる。

オリジナルのカレンダーは、プロジェクト管理や目標管理、予算管理、あるいは個人的なダイエットでの体重管理やカロリー管理など、独自のスケジュール管理に使うことができる。

手作りカレンダーとはいえ、本当に手作りしていては、一年分を作るとなるとうんざりしてしまうだろう。こういう単純作業はなんとか簡単にやってしまいたいと考えるのが人情というものだ。

マクロの実行一発でカレンダーの出来上がり

そこで、この「オリジナルカレンダーを作るプログラム」である。

エクセルマクロのプログラミングの手順をもう一度おさらいしておくと、まず空のエクセルシートを開き、[Alt]＋[F8]キーを押してマクロを呼び出す。そしてマクロ名を記入する。

ここではライブラリの参照設定はないので、作成ボタンでプログラミング画面を開いて作業開始だ。

プログラムのコードは73ページにあるとおりなので、これをコピーしてプログラミング画面に貼り付ければプログラミング終了である。

そこで、もう一度エクセルの空シートに戻り、[Alt]＋[F8]キーで実行する。

すると、空のエクセルシートを元に1月から12月のカレンダーが作成される。

Excelで
オリジナルカレンダーを作る

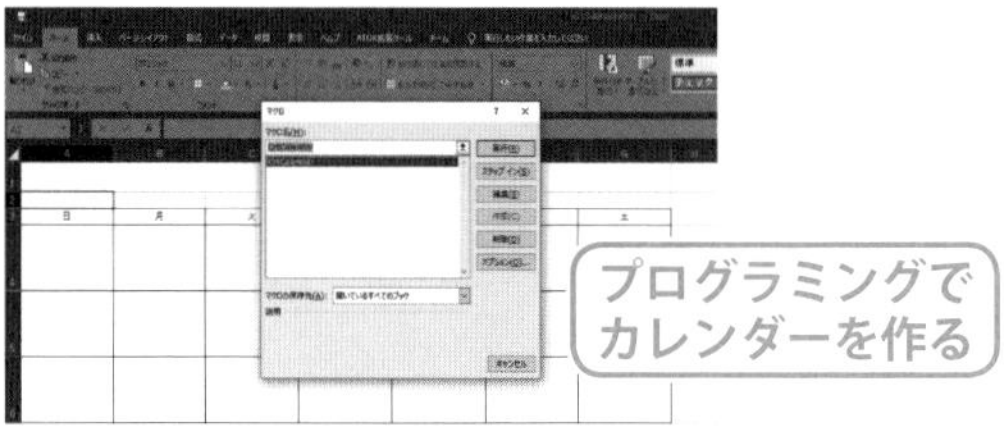

反復するのは2種類の作業

このプログラムで繰り返す作業は2つだ。

ひとつは、月ごとにシートを作って、順番にタブに収めていくという作業を12回繰り返す。

もうひとつは、月ごとのシートの中味である日付と曜日を一週間単位で繰り返し作ることである。

月ごとのシートと、月の中味の日付と曜日を作ることを分けて繰り返すというのが、このプログラミングにおける反復構造ということになる。

はじめの繰り返しは① For lngMd = 1 To 12 から、最終行のひとつ前にある Next lngMd までである。

ふたつめは、② の For lngDd = 1 To lngLd から、最終行の3行前の Next lngDd までとなる。

一週間で折り返す反復の指示

strSn = lngCy & "年" & lngMd & "月" とあるので、シート名は2020年1〜12までの月ということになる。具体的には2020年1月、2020年2月……というシート名でタブに並ぶ。それを変数に代入しているのが❶である。

次に、カレンダーでは月によって月末日が異なるので、その調整をしている。DateSerial は日付を作る関数である。

❷と❸は曜日の指定で、一週間で日付が次の行に移って進むようにしている。この指定によって、カレンダーは一週間で折り返すという形になる。❸は曜日によってフォントの色も変更している。

このプログラムでは7つの変数を使っている。

この変数は何だ?と思ったら、上にさかのぼっていって一番近くにあるその変数の代入値で確認しよう。

```
Sub CrtCalendar()
    Dim lngMd As Long       '月のカウント
    Dim lngDd As Long       '日付のカウント
    Dim lngWd As Long       '週の何番目の日付か
    Dim lngLn As Long       '指定する列の番号
    Dim lngLd As Long       '月の最終日付
    Dim lngCy As Long       '作成するカレンダーの年
    Dim strSn As String     'シート名称

    '作成するカレンダーの年をここで設定
    lngCy = 2020

    '1月から12月のカレンダーを作成します。
    For lngMd = 1 To 12                         ①反復スタート

        '作成する月のシート名を決定
        strSn = lngCy & "年" & lngMd & "月"     ❶2020年1月、2020年2月…という形で
                                                  シートのタブに並ぶ

        Worksheets("Sheet1").Copy after:=Worksheets(Worksheets.Count)
        ActiveSheet.Name = strSn

        '月の末日を計算
        lngLd = Day(DateSerial(lngCy, lngMd + 1, 1) - 1)
        'カレンダーの作成
        With Worksheets(lngCy & "年" & lngMd & "月")
            .Cells(1, 1).Value = lngMd & "月カレンダー"
            lngLn = 4
            '日にちを入力
            For lngDd = 1 To lngLd               ②2つめの反復スタート
                '日曜日開始で週の何番目かを判定（vbSundayをvbMondayに変更で開始を月曜日に
                変更可）
                lngWd = Weekday(DateSerial(lngCy, lngMd, lngDd), vbSunday)
                                        ❷週の開始を日曜日にするか月曜日にするか指定
                .Cells(lngLn, lngWd).Value = lngDd

                '土曜日の日にちは青、日曜日の日にちは赤色にする
                If lngWd = 7 Then .Cells(lngLn, lngWd).Font.ColorIndex = 5   ❸5は青、3は赤を意味
                If lngWd = 1 Then .Cells(lngLn, lngWd).Font.ColorIndex = 3     する
                '週の最終で行を変更
                If lngWd = 7 Then               日付を7日記入したら
                    lngLn = lngLn + 1           次の行に移る
                End If
            Next lngDd    次の週の日付を記入        ③ ②へ戻る
        End With
    Next lngMd                                  ④ ①～の反復の範囲
End Sub
```

1つめの反復（カレンダーの形式・年と月の作成）

2つめの反復（日付と曜日の作成）

03

VBAの選択構造を学ぼう

入力フォームで住所録の入力間違いを防ぐ

顧客や社員に直接データを入力してもらう場合、管理する側としては入力の手間が省けて助かるのだが、相手によっては書式のルールに従ってくれない、正しく入力してくれないこともある。

多くは単なる入力ミスから起きることだが、間違った入力をされると後で修正するのが大変な作業になることもある。

とはいえ個人情報など、現在では本人に入力してもらう以外に方法のないケースも少なくないだろう。

そういうとき、入力フォームの段階で正しい入力をガイダンスする、間違った入力を正すシステムが必要となる。

ユーザーフォームを作成する

ここでは、住所録作成のために、本人に住所を入力してもらうケースを想定してみた。

郵便番号や電話番号に余計な文字が入らないよう抑制をかけている。

プログラミングは、まずユーザーフォームの作成からはじまる。エクセルの住所録からマクロのプログラミング画面のメニューバーにある「挿入」をクリックし、ユーザーフォームを呼び出す。

ツールボックスにあるラベルとテキストボックスでユーザーフォームの形式を指定し、プロパティで表示を指定し、ツールボックスからコマンドボタン（左ページの「登録」ボタン）を選びセットする。

ユーザーフォームで
入力間違いを防ぐ

Excelの住所録を用意

ID	氏名	年齢	住所	電話番号

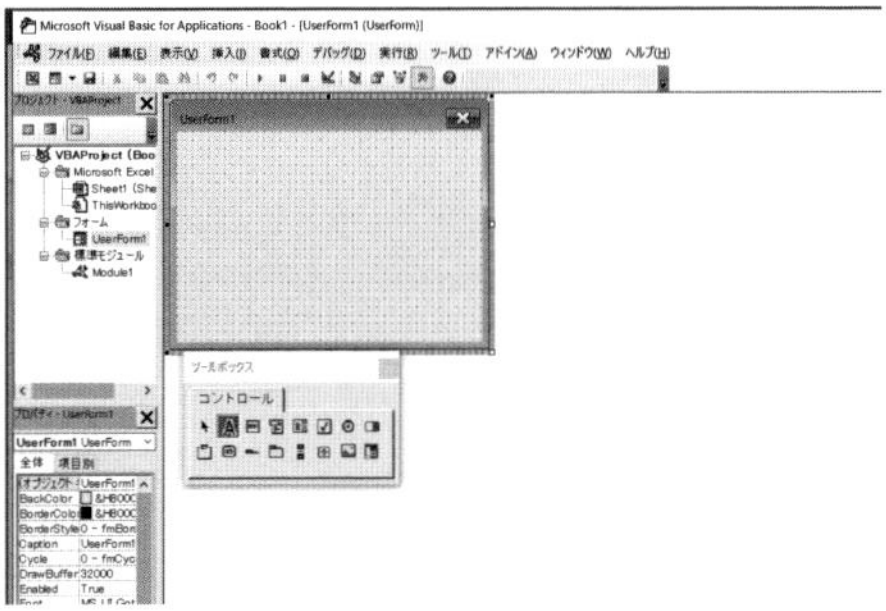

Excelでユーザーフォームを作成

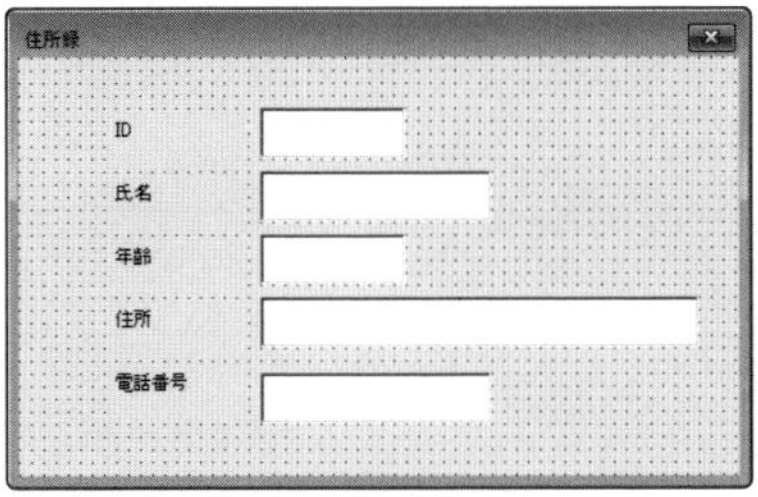

2重のプログラム構造

このプログラムは、ユーザーフォームを起動するプログラム、そしてユーザーフォームに記入するときの条件設定および記入された氏名や住所等をエクセルの住所録シートに転記するプログラムの、２つのプログラムで構成されている。

２重構造のプログラムでも、コンピューターは迷うことなく上から順番に読んでいく。

最初のプログラムは、Sub UserForm() から、３行目の End Sub まで。

先に作っておいた「ユーザーフォーム」の起動である。起動すれば、それで作業終了というプログラムである。

次のプログラムが、Private Sub cmdEt_Click() から最後の End Sub までである。

マクロ名には最初の Sub の後ろにあるプロシージャが保存される。

一つひとつ条件をクリアさせる

Private Sub cmdEt_Click() の２行下からはじまる If 構造が、間違いを抑制する条件である。

入力項目が数字だけの項目に数字以外が混じっているなど、項目に適切なデータが記入されていないときには、メッセージボックスに間違いを正すようメッセージが表示される。

作業はそこで中断され、正しいメッセージが記入されるまで次の作業へは進まない。Exit Sub が中断を意味する。

正しく入力がなされれば End If となり、次の If の条件に進む。

こうして上から順番に If 条件をクリアしていくが、ここでは、反復構造は使わずに順次構造で一つひとつ条件をクリアすることで入力間違いの抑制を行っている。

```
Sub UserForm()
    'ユーザーフォームを起動
    UserForm1.Show
End Sub
```

ユーザーフォームの起動
これもひとつのプログラム

2つめのプログラム

```
Private Sub cmdEt_Click()
    Dim lngLr As Long          '最終行の番号
    '必須入力チェック
    If txtId.Text = "" Then
        MsgBox "IDを入力して下さい"
        Exit Sub
    End If
    '必須入力チェック
    If txtNm.Text = "" Then
        MsgBox "氏名を入力して下さい"
        Exit Sub
    End If
    '必須入力チェック
    If txtAg.Text = "" Then
        MsgBox "年齢を入力して下さい"
        Exit Sub
    End If
    '必須入力チェック
    If txtAd.Text = "" Then
        MsgBox "住所を入力して下さい"
        Exit Sub
    End If
    '必須入力チェック
    If txtTl.Text = "" Then
        MsgBox "電話番号を入力して下さい"
        Exit Sub
    End If
    '数字入力チェック
    If Not IsNumeric(Replace(txtTl.Text, "-", "")) Then
        MsgBox "電話番号に数字以外の文字が入力されてます"
        Exit Sub
    End If

    '最終行にフォームの内容を入力
    With Worksheets("Sheet1")
        '入力する最終行を取得
        lngLr = .Cells(Rows.Count, 1).End(xlUp).Row + 1
        .Cells(lngLr, 1).Value = txtId.Text
        .Cells(lngLr, 2).Value = txtNm.Text
        .Cells(lngLr, 3).Value = txtAg.Text
        .Cells(lngLr, 4).Value = txtAd.Text
        .Cells(lngLr, 5).Value = txtTl.Text
    End With
End Sub
```

ID欄が空白（未記入）のときは「IDを入力して下さい」を表示

作業終了

↓

氏名欄が空白（未記入）のときは「氏名を入力して下さい」を表示

↓

年齢欄が空白（未記入）のときは「年齢を入力して下さい」を表示

↓

住所欄が空白（未記入）のときは「住所を入力して下さい」を表示

↓

電話番号欄が空白（未記入）のときは「電話番号を入力して下さい」を表示

↓

電話番号欄に文字が入力されているときは「電話番号に数字以外の文字が入力されています」を表示

順次構造

04 VBAの選択構造を学ぼう
リストを元に複数のワークシートを連続作成

ここではエクセルシートで必要となるデータのリストを作り、そのリストを元にワークシートを一度に作成するプログラムを作ってみる。

わざわざプログラミングをしなくても、その都度シートを作って保存すればすむようにも思えるかもしれないが、支店ごとの売上管理シートや社員ごとの出退勤管理シート、営業成績管理シート、商品ごとの毎月の売上管理シートなど、複数のワークシートで何かを管理することは、さまざまなビジネスシーンで行われている。

一つひとつは大した手間ではないが、チリも積もれば山となる。山となったシートを一つひとつ作るのは大変だ。

作業はいたって単純

プログラムがコンピューターに命ずる作業は、リスト用のシートに記入された管理表の名前を、一つひとつタグに転記していくことである。

シート自体は、これからデータを記入するためのものだから空のシートである。

なんら複雑な作業指示はないのがこのプログラミングである。

新規にワークシートを開いて、リストを作る。

次に Alt ＋ F8 キーでマクロのダイアログボックスを呼び出し、マクロ名（ここでは CrtSheet ）を付けて「作成」ボタンをクリック、プログラミング画面を開く。

複数のワークシートを連続作成する

Excelシートにあるリストをシート名として

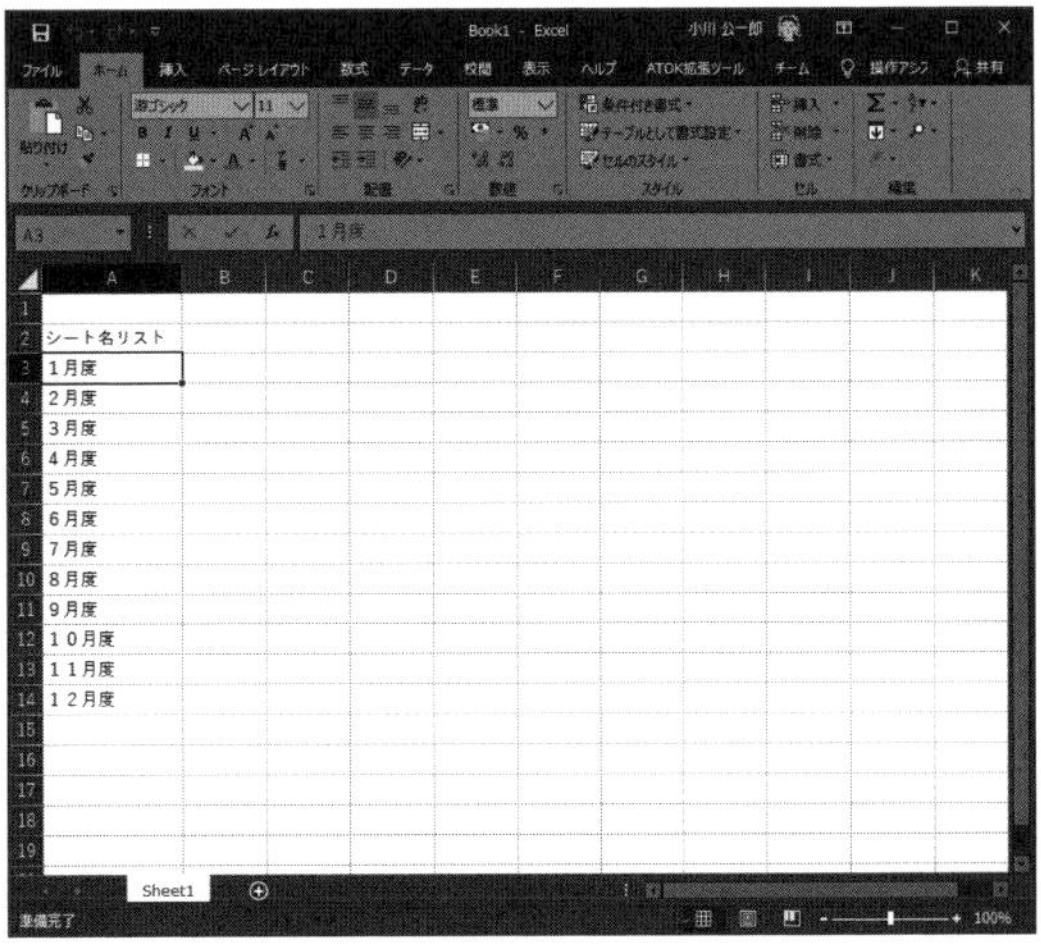

各月のシートを自動的に作る

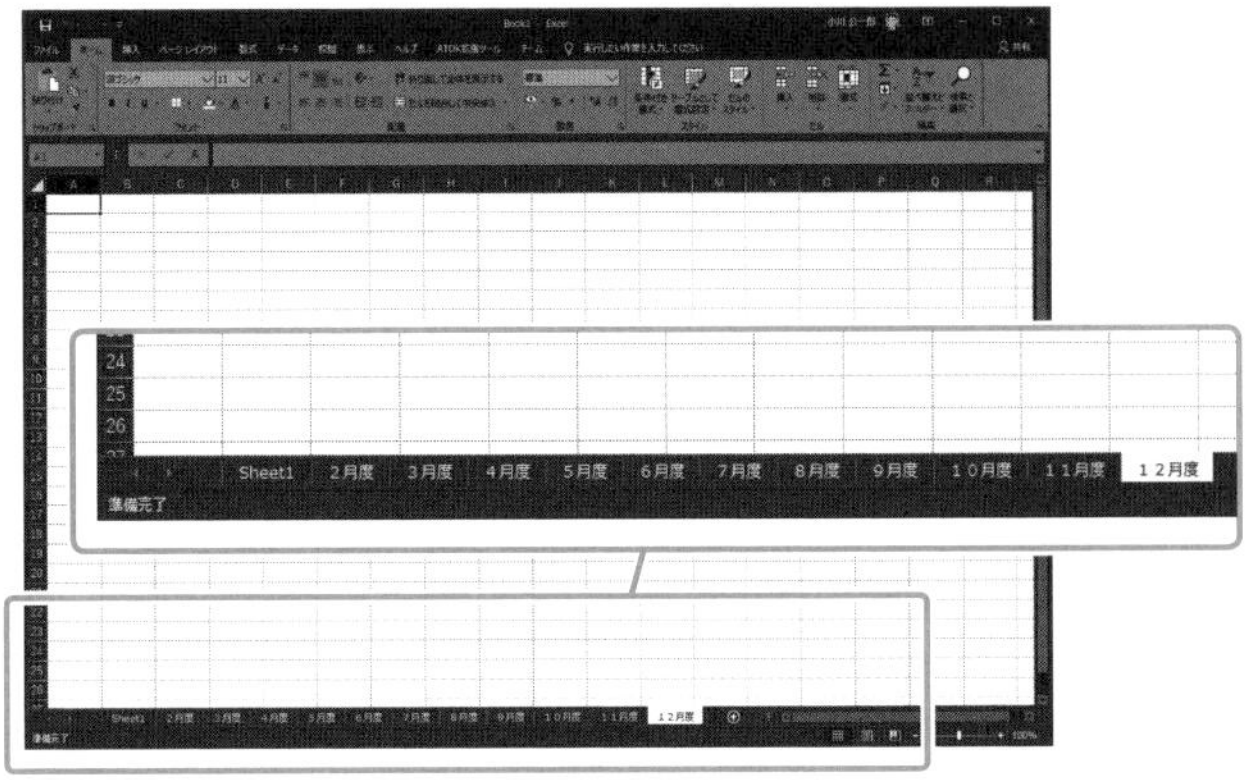

100行目まで繰り返す?

左ページのプログラム例で、②の ActiveSheet とは、いま開いているシート（リスト作成用のリスト名だけを書き込んだシート）のことで、①の ActiveCell とは、そのシートにあるセル（実際にはシート名が記入されたセル）のことを指す。

その下の③ For i = 1 To 100 とは、いま開いているシートのセル（A1）から100行目まで以下の作業を繰り返せ、という反復の指示である。

If wksWs.Cells(lngCn, lngAc)<>"" Then は選択構造で、いま開いているシート（ ActiveSheet ）のセルに何か値が入っていたら以下の作業を行う。

Else は、もしセルに値がなければ Exit For、すなわち繰り返し作業から抜けて選択構造を終了し、次いで繰り返し作業も終えてプログラム終了となる。

反復構造をコントロールする選択構造

以下の作業とは、ActiveSheet にあるリスト（シート名）を、上から順にタブへコピーして移すということだ。この作業をリストの上から順に繰り返す。

反復構造は、セルの1行目から100行目まで繰り返すように設定されている。したがって、反復構造だけであれば、コンピューターは100行目のセルまでコピーとタブへの記入を続けることになる。

だが選択構造で、セルに値があったら作業を行うという指示になっている。つまりセルに値がなければ反復作業を終了しプログラムも終了となる。

そのためリストのすべてを転記したら、コンピューターはセルが100行目以前でも、そこで作業を終える。

選択構造が反復作業を制限しているのだ。

```
Sub CrtSheet()
    Dim lngAc As Long              'セルの列の位置
    Dim lngAr As Long              'セルの行の位置
    Dim lngCn As Long              'セルのカウント
    Dim wksWs As Worksheet         'ブック内のワークシート

    lngAc = ActiveCell.Column  ①リスト作成用のシートのセルの位置
    lngAr = ActiveCell.Row        A1にカーソルを置く

    'アクティブとなっているシートを指定
    Set wksWs = ActiveSheet  ②いま開いているリスト作成用のシート

    '100回ループ
    For i = 1 To 100          ③1行目から100行目まで繰り返すという指示
      lngCn = lngAr + i                         ※下の選択構造でリスト
      '指定されたセルに何か入力されていた場合      に値がなくなれば作業
      If wksWs.Cells(lngCn, lngAc) <> "" Then     終了としているので、
        '現在のシートの後ろにシートを追加          100行目以前でも作業
        Sheets.Add after:=ActiveSheet             は終了となる

選      '追加するシート名を指定
択      ActiveSheet.Name = wksWs.Cells(lngCn, lngAc).Value
構
造
      Else
        'ループを抜ける
        Exit For  リストのセルに値がなければ繰り返し作業から抜ける
      End If

    Next i  セルに値があれば次の行へ

End Sub
```

05

VBAの変数を学ぼう
現地報告で便利！ 画像をエクセルに自動的に取り込む

スマホで簡単に写真を撮れるようになって、多くの人が気軽に画像を扱うようになった。スマホでの撮影は、プライベート、ビジネスを問わず、いまや日常的な行動と言える。

デジタル画像はフィルム写真と違ってお金がかからず、また保存管理のための場所を取らない。こうしたこともデジタル画像の利便性である。

しかし、いかに場所を取らないとはいえ、写真（デジタル画像）をいつまでもPCのフォルダ内に残しておくこともできない。

フォルダを作って収めておくだけでは、いつ、どこで撮影したものか、どういう状況で撮影したものなのか、すぐに整理がつかなくなってくるだろう。

写真もエクセルで管理

写真を整理するのも、エクセルで管理するほうが確実である。画像を、撮影したときのデータ（いつ、どこで、何／誰を、どういう目的で撮影したのかなどの記録）とともに整理し、管理することができるからだ。

とはいえ、画像をいちいちエクセルに貼り付けるのは、画像がたまっているほど大変な作業となる。

そういうとき、新規にエクセルを立ち上げ、フォルダ内にある画像をエクセルに自動的に取り込むようにプログラミングすれば、この作業がいっぺんにできることになる。

人によってはとても便利なプログラムだろう。

画像をフォルダから Excelシートに流し込む

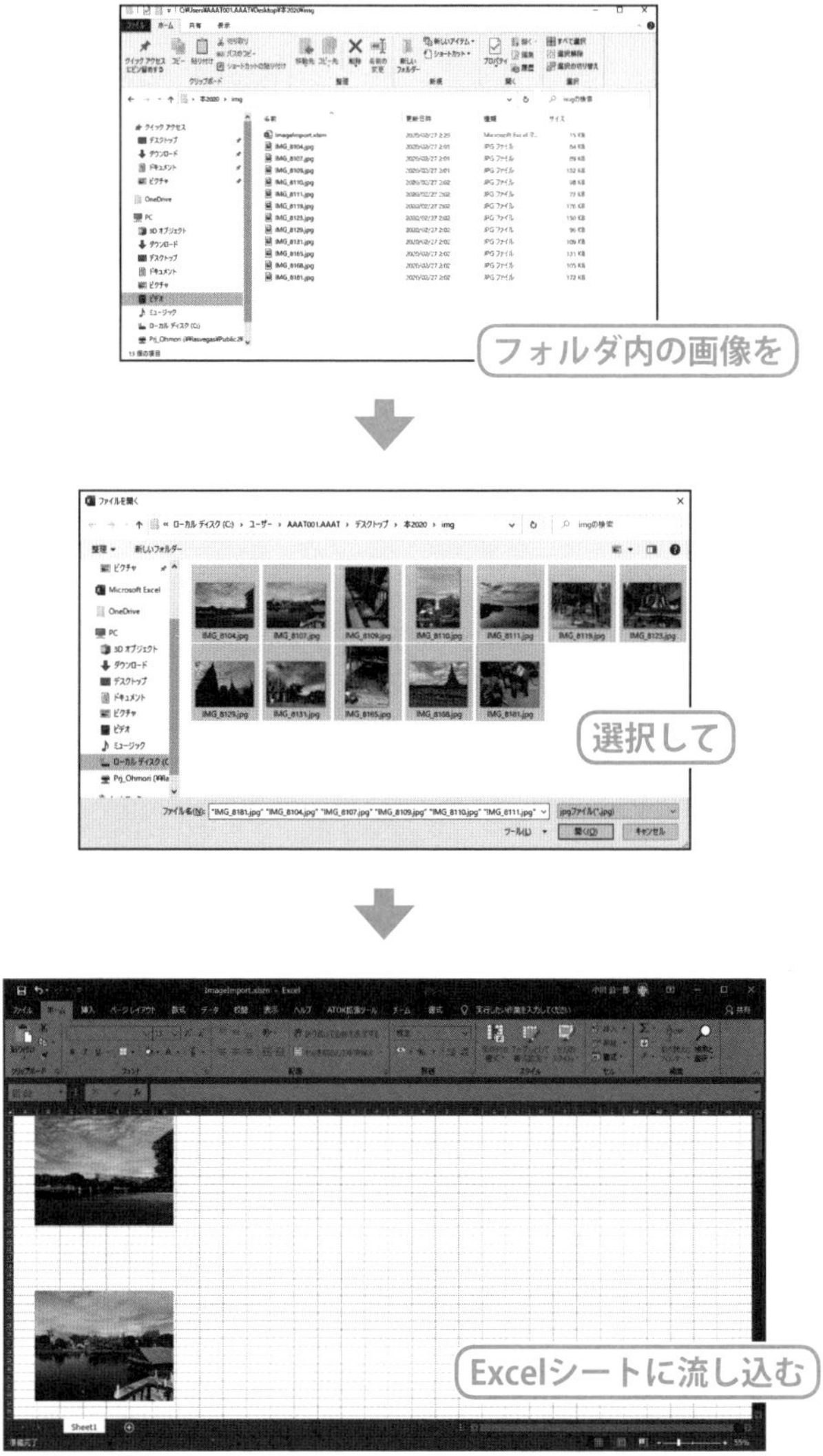
フォルダ内の画像を
選択して
Excelシートに流し込む

変数の名前は自由

このプログラムの変数は、Dim と As に挟まれた部分、すなわち vrtFp と vrtFn、それに lngZh である。Dim と As の間にある文字は変数であるとコンピューターは認識する。

先述したとおり、変数は「箱」に過ぎない。変数の宣言といっても、それは箱のラベルを決めただけのことなので、箱の名前によってコンピューターが何か動くわけでもない。

したがって、変数名は何でもよい。ここでは一番上の変数を vrtFp としているが、GazonoBasyo でもよいし、vrtFn も GazonoFile でもよい。

変数には関数の結果を直接代入できる

Dim は「変数の宣言」を意味し、As の後ろが「変数の型」を示している。

変数の型とは、大きく分ければ文字列と数列であり、文字列は String と表記し、数列は Long と書く（数列の変数は種類が多いため、ここでは Long を使用する）。

左ページのプログラムでは Variant という「型」にしているが、数列か文字列かあいまいなときは Variant という表記で変数を宣言することもできる。このあたりもVBAの融通がきくところだ。

箱である変数の中味は配列であってもよい。①の vrtFp は、中味を Application.GetOpenFilename という配列としている。

だから、コンピューターは VrtFp とあれば、「複数の画像が入っている画像ファイルが選択された」と認識する。

その2行下にある反復構造 For Each vrtFn In vrtFp（②）が、「選択した画像ファイルの画像をいちいちエクセルシートに貼り付ける」と指示できるのも、変数に中味があるからだ。

```
Sub ImageImport()
    Dim vrtFp As Variant        'ファイルパス配列
    Dim vrtFn As Variant        'ファイル名
    Dim lngZh As Long           '座標

    'ダイアログボックスで複数ファイルを選択する
    vrtFp = Application.GetOpenFilename("jpgファイル(*.jpg),*.jpg", MultiSelect:=True)
    '選択できていれば配列になっている
    If IsArray(vrtFp) Then

      'ファイルを選択した分だけ繰り返す
      For Each vrtFn In vrtFp
        '画像ファイルを選択
        ActiveSheet.Pictures.Insert(vrtFn).Select

        '表示位置の指定
        With Selection

            .Top = lngZh
            .Left = 50
            .Width = 364
            .Height = 242

        End With

        '位置をずらす
        lngZh = lngZh + 384

      Next vrtFn
    End If

End Sub
```

変数の宣言（Dim 〜 '座標 の3行）

変数名（vrtFp、vrtFn、lngZh）

As Longは数列型、As Variantは不特定の型

① 変数vrtFpの中味に画像ファイルを開いて選択する機能を代入

②vrtFpで選択した画像を一つひとつ取得

取得した画像をシートのどこに貼るかを指定（.Top 〜 .Height の4行）

06

VBAの変数を学ぼう

エクセルの売上管理表から請求書を自動作成する

請求管理と請求書発行システムは、すでにほとんどの会社にあるだろう。そうした職場では無用のプログラムかもしれないが、請求書の作成は、実はエクセルのプログラミングで簡単にできるということも知っておいてよいだろう。

請求書発行システムはともかくとして、たとえば売上の管理や請求、入金の管理などをエクセルで行っているケースは多いはずだ。

売上、請求、入金管理をエクセルで行っているのなら、請求書の作成もエクセルでやるほうが手っ取り早くてスムーズだ。

請求書もエクセルで作ろう

まずエクセルの売上管理表を開いて、マクロを呼び出し、プログラミングを行う。

このプログラムでは、請求書の書式もエクセルで作る。89ページに掲載したプログラムでは、マクロ名（プログラムの名前）の下に10行ほど見慣れない記述がある。

これらは変数ではなく「定数」と呼ばれるものだ。"N3"とか"N4"とあるのは、エクセルで請求書の書式を作るときのセルの位置である。

指定した位置のセルに、たとえば請求書番号や日付が入るという「位置指定」をしているのだ。

これらの請求書番号や日付は、当然ながら元の売上・請求管理のエクセル表の項目と一致していなければいけない。

Excelのデータから請求書を作る

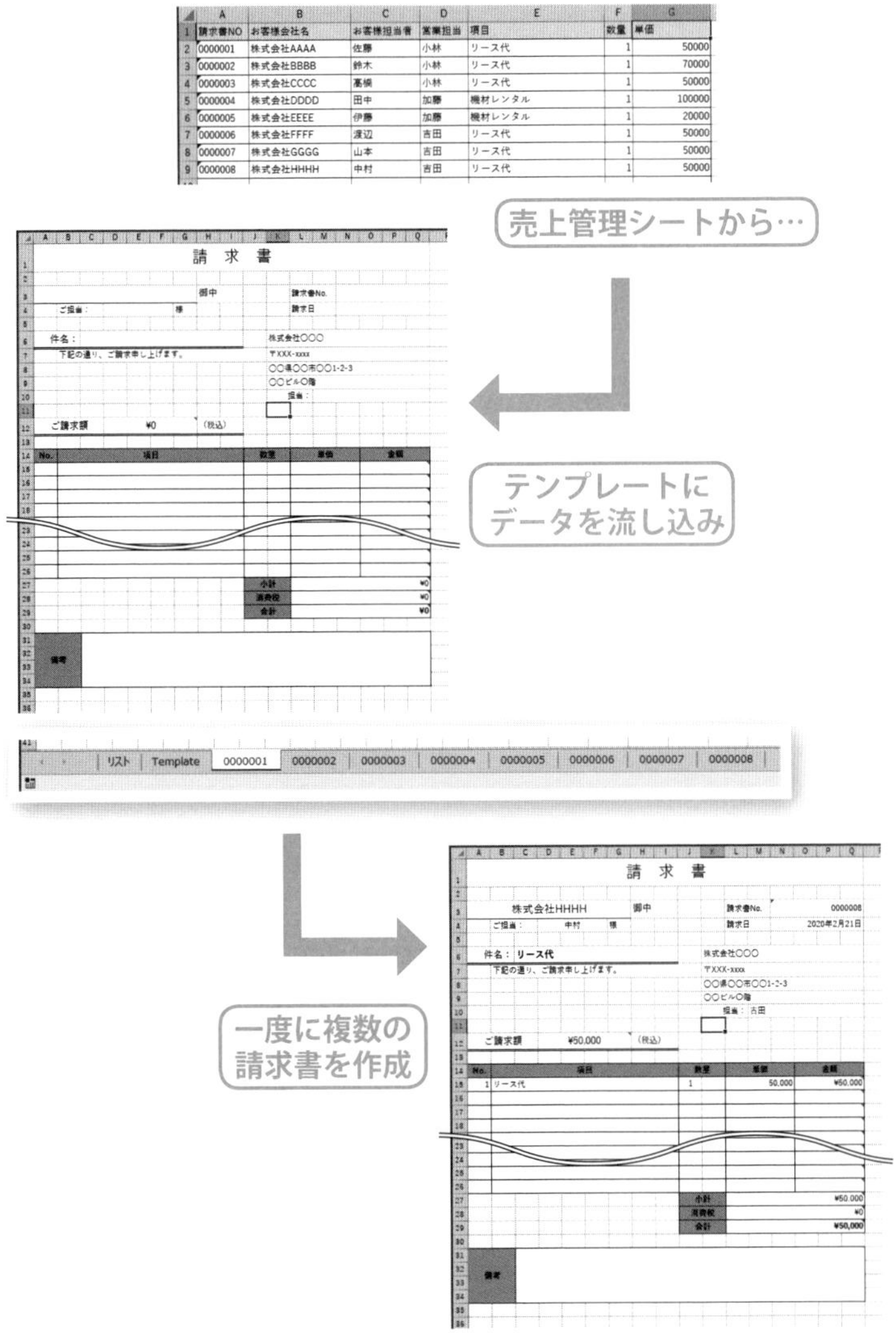
売上管理シートから…
テンプレートにデータを流し込み
一度に複数の請求書を作成

変数はひとつだけ

プログラミングは、請求書のテンプレートの指定からはじまる。その下にある1行が「変数の宣言」である。①の行がそれだ。

このプログラムでは、変数はこれだけである。プログラミングの作業としては、何行にもわたっているものの、構造的には複雑ではない。

ここでは lngRw というのが変数名である。変数の型は Long とあるので、変数 lngRw という箱の中味は数列である。

では、その数列とは何か。その下の lngRw = 2 というのがそうだ。変数 lngRw の中味は2なのである。2とはエクセルの2行目のことなのだが、ここではまだ何のことかわからない。コンピューターはここでは、変数 lngRw が2であるということを認識しただけだ。

作業を指示する過程で変数が働く

次の行にある While Not IsEmpty とは、「空白の行になるまで請求項目にある値を請求書に写せ」という繰り返しの指示だ（While も反復の指示）（②）。その（ ）の中の最後の（"A" + CStr (lngRw)）によって、エクセルのA列の lngRw すなわち2行目の値から空白の行まで、という意味になる。

エクセルの売上・請求管理表の1行目は項目名で、請求に必要な値は2行目から記入されているため、lngRw = 2 となるのだ。

その程度かと思うかもしれないが、反復の範囲指定である Wend の前（最後から3行目）で lngRw = lngRw + 1（③）と変数の中味をリニューアルすることで、2行目の値を果てしなくコピーし続けることなく、2行目が終わったら3行目……と順番に作業を繰り返せるのである。

```
Sub AutomaticSheetCreation()

    Const cntIn As String = "N3"      '請求書NO
    Const cntId As String = "N4"      '請求書日付
    Const cntCn As String = "A3"      'お客様会社名
    Const cntCo As String = "D4"      'お客様担当者
    Const cntSs As String = "M10"     '営業担当
    Const cntSj As String = "C6"      '件名
    Const cntNo As String = "A15"     'No
    Const cntIm As String = "B15"     '項目
    Const cntNm As String = "J15"     '数量
    Const cntUp As String = "L15"     '単価

    Dim lngRw As Long       'アイテム用行カウンタ

    '2行目から請求書番号がある場合、請求書を作成する
    lngRw = 2
    While Not IsEmpty(Worksheets("リスト").Range("A" + CStr(lngRw)))

        '新しくテンプレートをコピー
        Worksheets("Template").Copy After:=Worksheets(Worksheets.Count)
        ActiveSheet.Name = Worksheets("リスト").Range("A" + CStr(lngRw)).Value

        '請求書にリストから値を入力
        '請求書NO
        ActiveSheet.Range(cntIn).Value = Worksheets("リスト").Range("A" + CStr(lngRw)).Value
        '請求書日付
        ActiveSheet.Range(cntId).Value = Format(Now, "yyyy年m月d日")
        'お客様会社名
        ActiveSheet.Range(cntCn).Value = Worksheets("リスト").Range("B" + CStr(lngRw)).Value
        'お客様担当者
        ActiveSheet.Range(cntCo).Value = Worksheets("リスト").Range("C" + CStr(lngRw)).Value
        '営業担当
        ActiveSheet.Range(cntSs).Value = Worksheets("リスト").Range("D" + CStr(lngRw)).Value
        '件名
        ActiveSheet.Range(cntSj).Value = Worksheets("リスト").Range("E" + CStr(lngRw)).Value
        'No
        ActiveSheet.Range(cntNo).Value = "1"
        '項目
        ActiveSheet.Range(cntIm).Value = Worksheets("リスト").Range("E" + CStr(lngRw)).Value
        '数量
        ActiveSheet.Range(cntNm).Value = Worksheets("リスト").Range("F" + CStr(lngRw)).Value
        '単価
        ActiveSheet.Range(cntUp).Value = Worksheets("リスト").Range("G" + CStr(lngRw)).Value

        '次の行へ
        lngRw = lngRw + 1
    Wend

End Sub
```

定数の設定
テンプレートのセルの位置とそこに記入する項目名

①変数の宣言（lngRw：変数名、Long：数列型）

（2はセルの2行目のこと）

②セルの2行目（lngRw）に値があれば作業する

テンプレートはあらかじめ作成してブックに保存しておくこと

リストの値を請求書テンプレートに記入

③次のデータに移る

07

エクセルで自動的にガントチャートを作る

VBAの演算子を学ぼう

プロジェクトのスケジュール管理では、ガントチャートがよく使われる。

ガントチャートそのものは格別難しい表ではないが、カレンダーの日付と横棒のラインを引くのは手作業ではとても骨が折れる。

セルの幅を調整するのもやっかいだ。

開始日と終了日を記入したら、あとは自動的にカレンダーが出来上がり、棒線が引かれればいいのに、と思ったことのある人は少なくないはずだ。

この願いをかなえてくれるのが、ここで紹介するプログラムである。

プログラミング手書き体験をしてみよう

プログラムのコードをコピーしてマクロのプログラミング画面に貼るのもいいが、ぜひ一度、手入力でプログラミングを体験してみてほしい。

プログラムのコードを記した93ページで、日本語の部分は無視してよい。「'」が頭についている文はコンピューターがプログラムとは認識しないからだ。

文字は半角英数字で、文字と文字の間の半角スペースは必ず空けることが基本だが、スペースを空けずに表記している文字は、それがひとつの意味を持つのでスペースを取ってはいけない。

指示は一行で書くこと。改行すると別の意味になる。

一方、行間は取っても取らなくてもよい。先頭文字の位置もどこからでもOKだ。

Excelでガントチャートを作る

Excelを立ち上げ、アイテム名と
開始と終了の日程欄を作る

	A	B	C	D
1	アイテム	開始日	終了日	
2				
3				
4				

↓

各項目ごとに日付を記入

	A	B	C	D	E
1	アイテム	開始日	終了日		
2	テスト1	2020/2/3	2020/1/30		
3	テスト2	2020/2/10	2020/2/14		
4	テスト3	2020/2/4	2020/2/15		
5	テスト3	2020/2/1	2020/2/2		
6					

↓

マクロを呼び出しプログラミング

↓

シートに戻りマクロを実行すると
ガントチャートの出来上がり

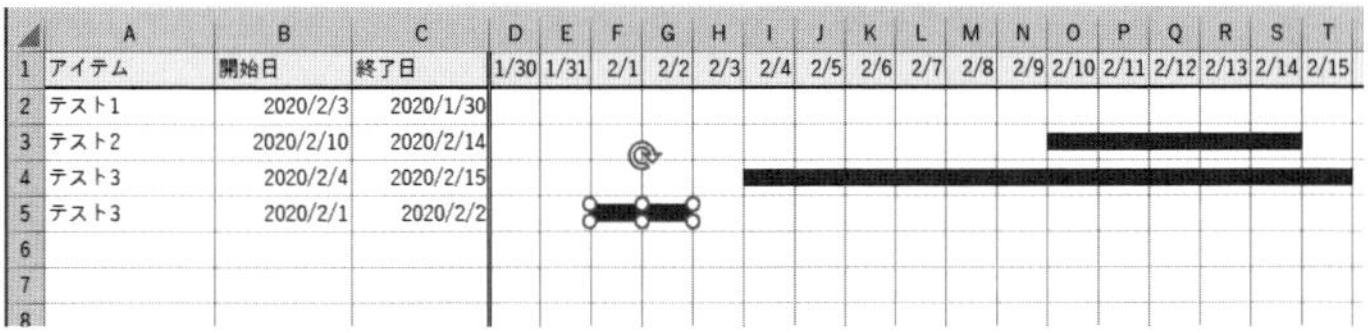

見た目は演算子でも文字列の場合あり

このプログラムで使われている演算子は「=」、「+」、「-」、「<」だ。「=」は代入、「+」「-」「<」はそれぞれ算術演算子である。

最初の代入は①で、開始日と終了日のうちで一番早い日付と遅い日付を指定し、変数に代入している。その幅が②で行うカレンダー作りで日付の範囲となるからだ。

ここは反復構造になっているが、繰り返すのはセルの一つひとつに日付を記入するという作業である。

ActiveCell.NumberFormatLocal = "m/d" の最後にある "m/d" の「/」は演算子ではない。「月/日」という、セルの書式設定の日付の分類である。

その下にある数字の4は、セルの幅が4ピクセルであると指定している。

文字列＋文字列の「+」は足し算ではない

③の（　）内にある（"A" + CStr(lngRw)）も、文字列と数列を「+」でつないでいる。

こういう表記の場合は「A+B」というような意味ではなく、「+」は「and」を意味し、「A2」「A3」……ということになる。

その下の④では、不等式「<」が使われているが、これは終了日が開始日の値より大きい場合に⑤⑥の作業を行うという指示になる。

⑤では開始日と終了日の差をセルの列数に変換し、⑥ではガントチャートの棒線の幅を、横位置セルの左端、高さがセルの中ほどに収まる幅となるように定めている。Top + 5 ピクセル、Height - 10 で、ほぼセルの中の高さ中央に来る。

このプログラムの演算子は
= + - <

```
Sub GanttChart()

    Dim datSd As Date       'チャートの開始日
    Dim datEd As Date       'チャートの終了日
    Dim datCt As Date       '日程描画用カウンタ

    Dim lngRw As Long       'アイテム用行カウンタ
    Dim lngGs As Long       '開始から何日目にスタートするか
    Dim lngGe As Long       '開始から何日目にエンドするか

    '入力されたセルから一番早い日と一番遅い日を取得
    '"B"は開始日、"C"は終了日
    datSd = Application.WorksheetFunction.Min(Range("B:C"))  ①
    datEd = Application.WorksheetFunction.Max(Range("B:C"))

    '"D"から日付が入る
    Range("D1").Activate
    '一番早い日と一番遅い日までカレンダーを記入
    For datCt = datSd To datEd  ②
        ActiveCell.Value = datCt
        ActiveCell.NumberFormatLocal = "m/d"
        ActiveCell.ColumnWidth = 4
        ActiveCell.Offset(0, 1).Activate
    Next

    '2行目からアイテムがある間、全部を描画する
    lngRw = 2
    While Not IsEmpty(Range("A" + CStr(lngRw)))  ③

        '開始日が終了日より遅い場合は描画しない
        If Range("B" + CStr(lngRw)).Value < Range("C" + CStr(lngRw)).Value Then  ④

            '開始日と終了日のセル数を計算
            lngGs = Range("B" + CStr(lngRw)).Value - datSd  ⑤
            lngGe = Range("C" + CStr(lngRw)).Value - datSd

            '"D"から開始日分オフセット、終了日分リサイズを行いシェイプを描画
            With Range("D" + CStr(lngRw)).Offset(0, lngGs).Resize(1, lngGe - lngGs + 1)
                ActiveSheet.Shapes.AddShape(Type:=msoShapeRectangle, _
                    Left:=.Left, Top:=.Top + 5, Width:=.Width, Height:=.Height - 10).Select  ⑥
            End With

        End If
        '次の行へ
        lngRw = lngRw + 1
    Wend

End Sub
```

①「=」は代入
変数datSd、datEdに関数の結果を代入している

②一番早い日付と遅い日付の間がガントチャートの幅になる

「/」は割り算でなく日付の「/」
(" "でくくられているから)

③「+」は「and」

⑤ガントチャートの範囲を算出

⑥チャートのラインの幅がセルの中央にくるようにレイアウト

第4章

実物EXCELプログラミング講座

速さで差をつける仕事簡略化スキル

この章で使うEXCELデータ

- 住所録
- 社員名簿
- 売上データ・売上グラフ

EXCEL以外で使うもの

- Microsoft PowerPoint

ライブラリの参照

- Microsoft PowerPoint 16.0 Object Library

01 VBAの関数を学ぼう
エクセル方眼紙で室内レイアウトを考える

エクセルにはもともとセルが並んでいるのだから、セルを正方形にしてサイズを決めれば、簡単に方眼紙が出来上がる。エクセルではメニューバーの「ホーム」をクリックし、書式からセルのサイズを指定できる。しかし、セルのサイズは縦幅で同じ数値を入れても正方形にはならない。縦と幅では単位が異なるからだ。

そこで、正方形のマス目を作るためのプログラミングが必要となる。

たとえば引越しのときには、新オフィスのレイアウトを決めるという段取りがある。

オフィスのレイアウトでは、方眼紙の1辺を1メートル、あるいは50センチとして、室内レイアウト用のテンプレートを作り、机やロッカー等の配置を決める。この作業がエクセルの画面上でできるというのは、なかなか魅力的だろう。

エクセルならやり直しが簡単

マクロの立ち上げからプログラミングの手順はこれまで通りである。

プログラミング完了後、実行するとInputBoxが表示され、そこに方眼紙のサイズを記入すれば方眼紙は出来上がるが、セルのサイズと言われてもほとんどの人はわからない。そこでいったん任意の数字を記入してプログラミングを実行し、方眼紙の様子を見て、再度セルの大きさを調整する。

エクセルなら直しの作業が簡単だから、出来を見ながら直すという方法も取れる。

Excelで方眼紙を作る

Excelの方眼紙で室内レイアウト

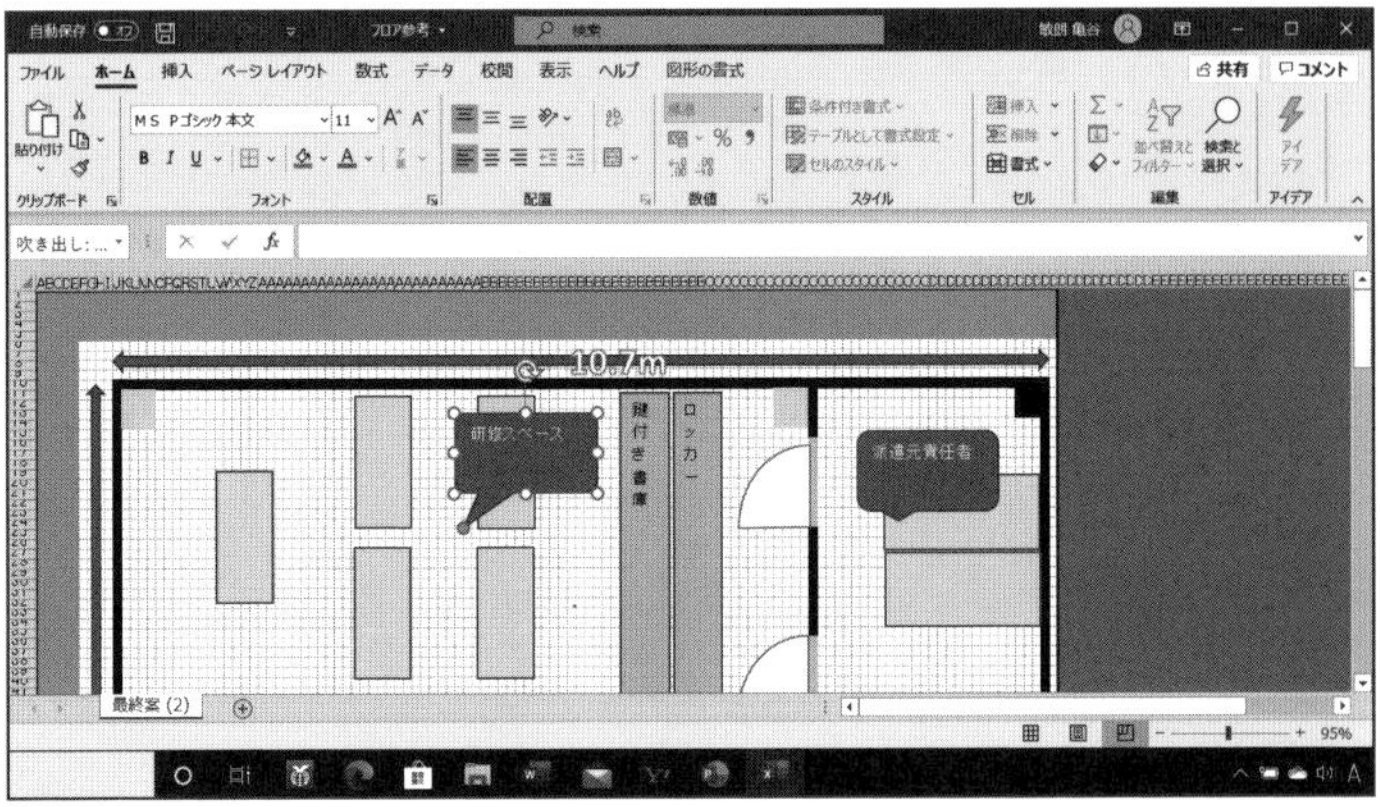

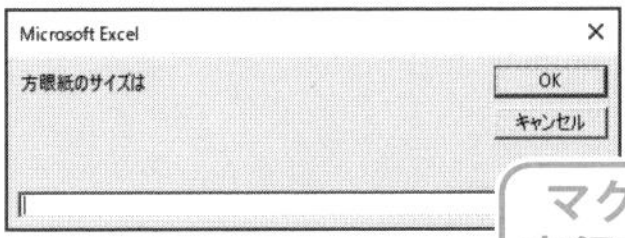

マクロを実行すると

使い勝手のよい方眼紙が出来上がる

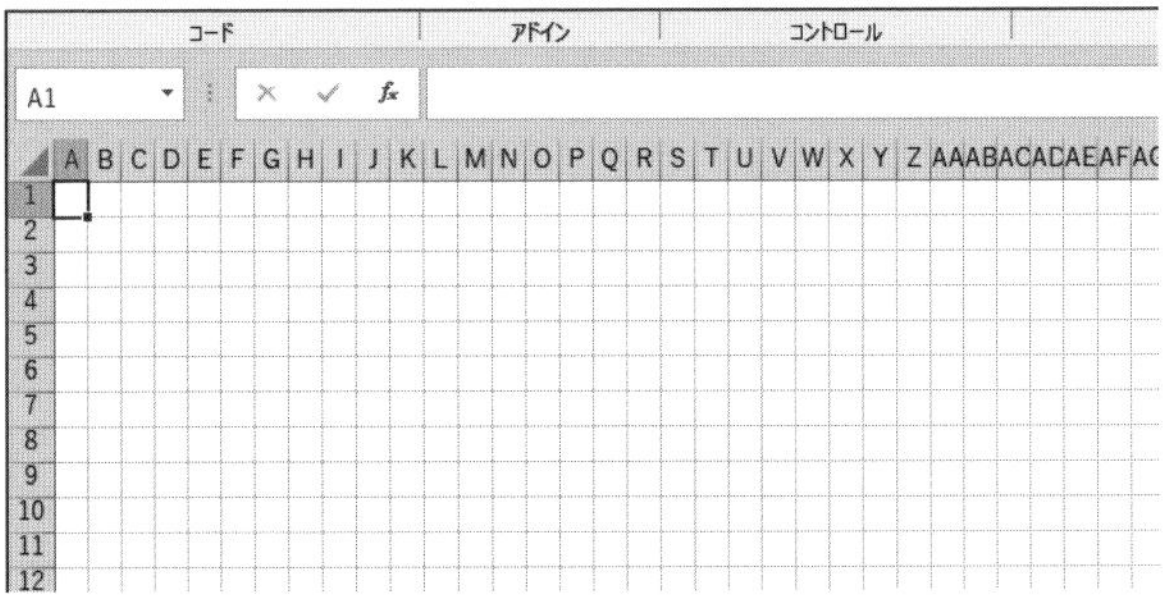

セルのサイズはピクセル

エクセル方眼紙では、縦と横のサイズは単位が微妙に異なるため、ここではあえて３回同じ作業を繰り返すことにしている。

これらの作業を反復構造で繰り返させるとプログラミングが複雑になるため、ここではより簡単な作業のほうを選んだということだ（３回と回数が少ないこともある）。

同じ結果になるなら、作業がより簡単で速いほうがよい、というのがプログラミングの基本でもある。

このプログラムの中で、関数は InputBox と IsNumeric、そして Val である。

InputBox では、「方眼紙のサイズは」という問いに対して入力された文字列が返ってくる。

IsNumeric も、冒頭に Is とあることからもわかるように関数である。

関数は文字を数値に換えて返せる

If IsNumeric (strSz) Then とは、インプットボックスに入力された文字列が数値であれば、という意味で、数値である場合は作業を続行する。

では、データが数値でない場合はどうするかというと、そこで作業を中断し、End Sub でマクロは終了となる。

Val という関数は、文字列を数字に換えて返してくるという関数で、たとえば文字列の「００７」を数字の７と変換してくれる。

数値でない場合は作業をしないと選択構造で条件設定をしているわけだが、関数 Val を使うことで、数字に変換できないような文字が入力されていれば戻り値が０となる。

いわば念には念を入れているということだ。

このプログラムの関数は
InputBox、IsNumeric、Val

```
Sub MakeGridPaper()

    Dim strSz As String          '方眼紙のサイズ
              文字列型
    '方眼サイズの問い合わせ
    strSz = InputBox("方眼紙のサイズは")  InoutBoxは関数を実行すると現れる
                    InoutBoxのメッセージ
    '数値の場合のみ処理を行う
    If IsNumeric(strSz) Then  InputBoxに数値が入力されたときのみ処理
                              IsNumericは数字かどうかを判断する関数
      ' セルの高さをピクセルで設定
      Cells.RowHeight = (Range("A1").RowHeight / Range("A1").Height) * Val(strSz) / 1.33

      'セルの幅をピクセルで設定（誤差を減らすため３回同じ処理を行う）
      Cells.ColumnWidth = (Range("A1").ColumnWidth / Range("A1").Width) * Val(strSz) / 1.33
      Cells.ColumnWidth = (Range("A1").ColumnWidth / Range("A1").Width) * Val(strSz) / 1.33
      Cells.ColumnWidth = (Range("A1").ColumnWidth / Range("A1").Width) * Val(strSz) / 1.33
                          Valは数字以外を入力しても０（ゼロ）を返してくる
    End If

End Sub
```

02

エクセルの住所録からエリア分析の資料を作る

VBAの関数を学ぼう

会社にある住所録・名簿といえば、社員名簿か顧客名簿だろう。いずれも住所のデータは記載されているが、普段はあまり活用する機会がないものだ。

社員の住所録は年賀状を送るときくらいしか使わないし、顧客の住所も普段担当者が訪問しているのだから、改めて眺めることもない。

だが、エリアマーケティングの観点から顧客の住所録を点検すると、どこにどれだけの顧客が集中しているかを分析する資料になる。

近年では本社機能の首都圏からの移転を考える企業も増えているが、たとえば営業所やサービスセンターなどの拠点をどこに構えるかを検討するときの資料にもなるはずだ。

都道府県で分割表示

エリアマーケティングでは、エリアをあまり細かくとらえるとかえって実態が見えにくくなる。都道府県ごとに分けて分析するというのが、ごく一般的なエリアのくくり方だろう。

住所録を都道府県ごとに分けて表示するには、入力時にそういう設計で作業すればよいのだが、すでに都道府県から町名番地まで一行で入力していると、改めて住所録を分割しなければならない。

エクセルの住所録を切り取って貼り付けても、できることはできるが、面倒な手作業であることは間違いない。

ここで紹介するプログラムは、煩わしい手作業をプログラミングで一気に片づける方法である。

住所録をエリアで分割する

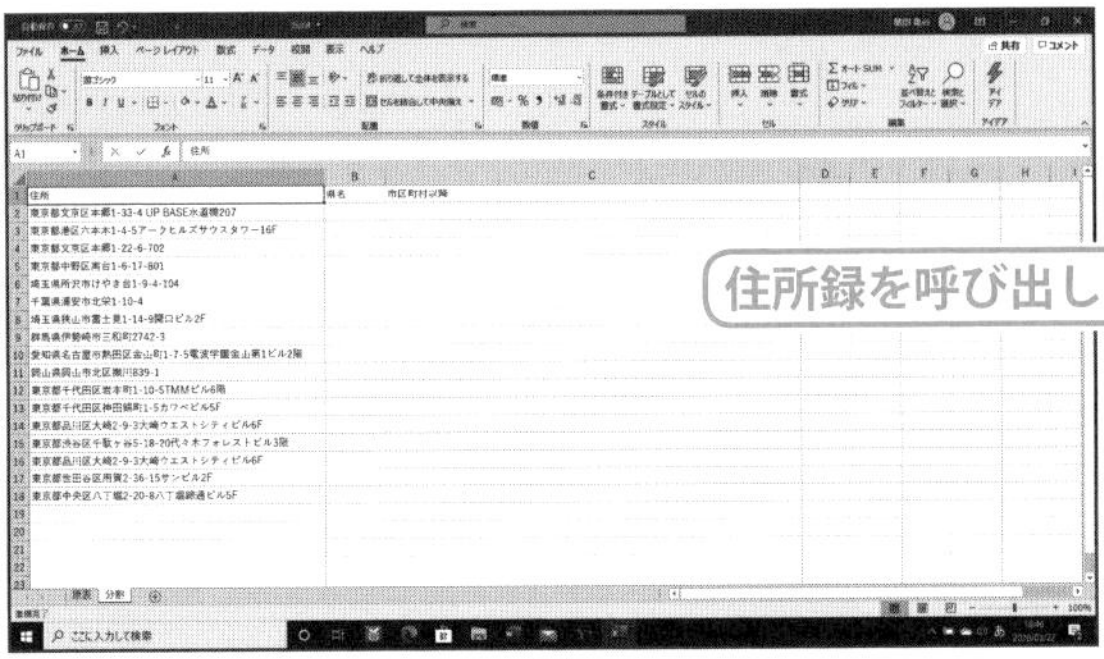
住所録を呼び出して

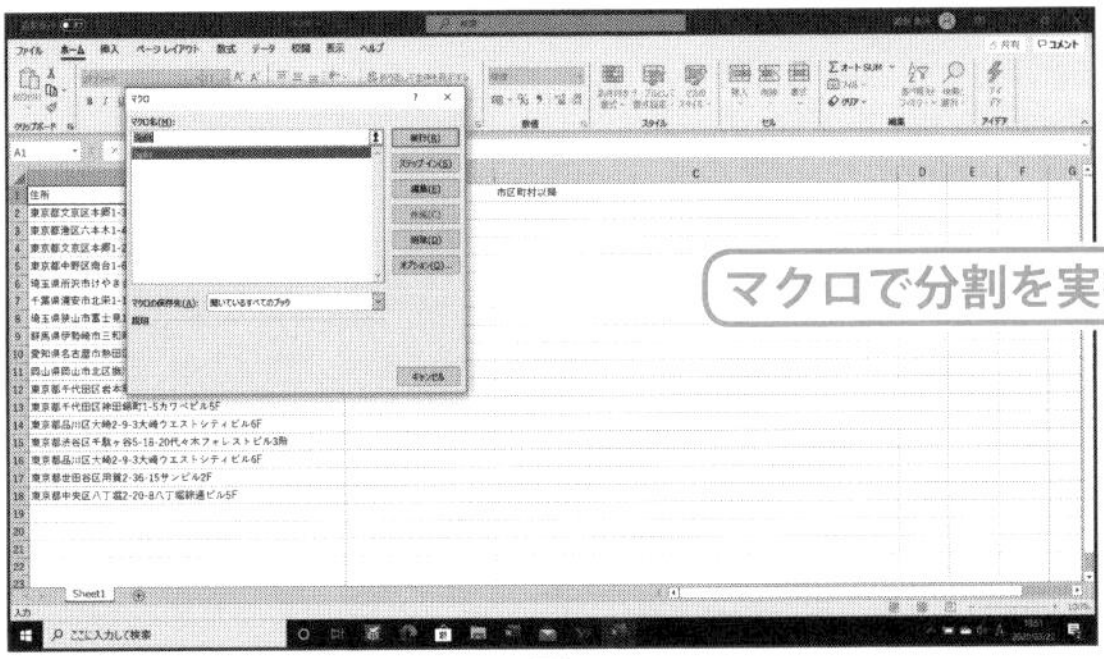
マクロで分割を実行

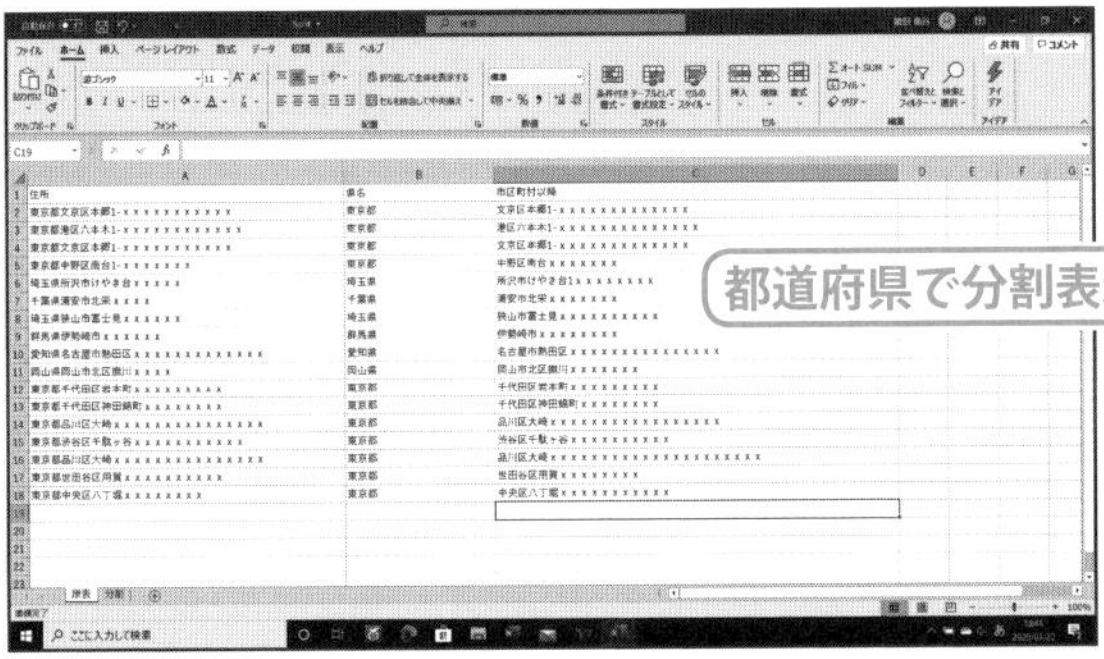
都道府県で分割表示

住所録からマクロを呼び出す

エクセルの住所録から都道府県名を区別して表示するという比較的簡単な作業なので、プログラミングもそれほど複雑なものではない。

それが左ページのプログラムである。

プログラミングまでの手順はこれまでと同じ。

まずエクセルの住所録を開く。そこから Alt ＋ F8 キーでマクロを呼び出して、プログラミングをスタートする。

このプログラムに使われている関数は3つ。InStr と Left、そして Replace である。

Is からはじまる言葉はだいたい関数と思ってもらってよいのだが、それは In も同様で、InStr もやはり関数だ。

元の住所録の中から、「県」という文字が、文字列の何番目にあるかを数えて返してくる。

どこで区切るかを作業する関数

InStr が、県という文字が4番目（神奈川県、鹿児島県など）の住所と3番目（青森県、千葉県、東京都など）の住所を選び、関数 Left が、文字列の3番目か4番目にある県名と、その後ろの市区町村および番地を区切って返してくる。

この指示は、日本の都道府県名が3文字か4文字だからできる、ひとつのプログラミング上の工夫だ。

関数 Replace は、エクセルに表示するとき、市区町村名を表記したセルでは、都道府県名は表記しない（空白とする）という指示である。

Replace(strAd, strPn, "") という指示があるから、住所の文字列から都道府県名が空白に変更され、指定のセルに市区町村名以降しか入らないのである。

```
Sub Split()
    Dim strAd As String      '住所          Stingは文字列型
    Dim lngPl As Long        '県名の位置    Longは数列型
    Dim strPn As String      '県名

    For i = 2 To 100                                  このプログラムの関数は
        strAd = Sheet1.Cells(i, 1).Value              InStr、Left、Replace

        '住所の中で県という文字の位置を特定
        If InStr(strAd, "県") = 4 Then InStrは文字の4番目が県かどうかを
                                       判断して返してくる関数
            lngPl = 4                 「県」が４番目のグループ
        Else
            lngPl = 3 「県」が３番目のグループ
        End If        （東京都、北海道、大阪府、京都府含む）

        '県名を分割
        strPn = Left(strAd, lngPl) Leftは文字列の左から指定した数だけ分割して
                                   返してくる関数
        '県名と市区町村以降を分けてエクセルに入力
        Sheet1.Cells(i, 2).Value = strPn    セルに県名を表示
        Sheet1.Cells(i, 3).Value = Replace(strAd, strPn, "") Peplaceで住所から県名を
    Next i                                                   空白に変更
End Sub
```

03

VBAの関数を学ぼう

社員名簿の生年月日から現在の年齢を算出する

社員名簿や顧客先の担当者名簿には、生年月日（あるいは生年のみ）は記しているものの、現在の年齢についていちいちアップデートして管理していることはほぼない。

しかし、たとえば自社の平均年齢はどのくらいなのか。どういう年齢層で構成されていて、ボリュームゾーンは何歳くらいなのかなどは、人事の戦略上からも押さえておきたいデータだろう。

顧客先の年齢層をつかんでおくことも、将来を見通したマーケティングを考えるときには必要となるデータである。

プログラムで単純計算を機械にさせる

生年月日から現在の年齢を算出するのは大した手間ではないものの、人数が多くなるとやはり手間だし、計算違いも起きる。そこでコンピュータに計算をさせ、その結果をエクセルに表示するようにプログラミングしてみる。

手順としては、まず社員（顧客）の生年月日データを用意する。次に空のエクセル表を立ち上げ、セル A1 に「誕生日」、B1 に「年齢」と入力。

そこからマクロを呼び出し、マクロ名を付けてプログラミング開始。プログラミング終了後、空のエクセル表へ戻り Alt ＋ F8 キーで実行。

InputBox が起動するので、そこに社員の誕生日を記入、ＯＫボタンをクリックすると MsgBox に年齢が表示される。そこでＯＫをクリックすると、エクセルに誕生日と年齢が表示される。

社員名簿の生年月日から現在年齢を算出する

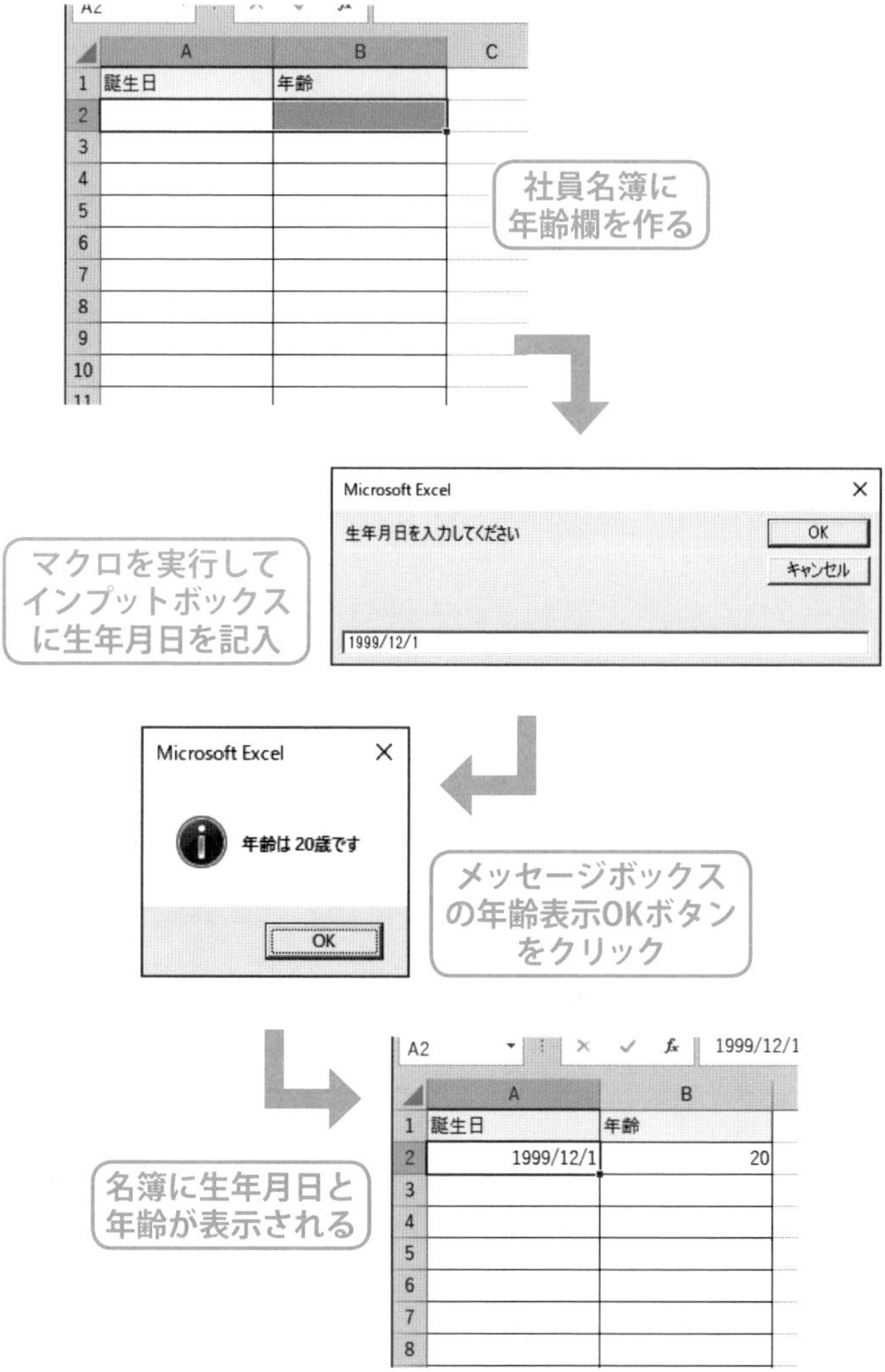

Isと付いていたらそれは関数

左ページは、簡単に言えば、今日現在の日付から各人の誕生日を引いて年齢を算出する、という作業の指示と、その結果をエクセルに表示するという指示である。

誕生日のデータをひとつずつInputBoxへコピペしていけば、年齢がエクセルに表れる。プログラムの内容自体は単純と言ってよい。

ここで使っている関数は、InputBox、IsDate、DateDiff、それにDateSerialだ。

①でInputBoxの表示を指示している。②のIsDateは、変数strBdに入力したデータが日付であるかどうかを返してくる関数だ。

Isと頭に付いているとき、それはだいたい関数である。ここでは、戻ってきた値が「もし日付でなければ」、MsgBox（メッセージボックス）に「日付ではありません」と表示され、作業はそこで終わり、ということである。Exit Subとは「これで退出」という意味だ。

次の関数DateDiffは「差分を求める」という意味だ。（　）内のNowすなわち今年から誕生日の年を引いた文字列、すなわち年齢を返してくる。DateSerialの後ろの（　）内は今年の誕生日の日付である。DateSerialは誕生日の日付を文字列から日付に変換する関数である。そうすることで、今日現在の日付と誕生日を比較できる。

誕生日の日付が今日の日付より大きい（まだ誕生日が来ていない）ときは、メッセージボックスに表示される年齢は、今年から誕生年を引いた年数から1マイナスされた数値となる（④）。

最後の2行（⑤）は、誕生日と年齢を表示するセルの位置を指定している。

```
Sub AgeCalculation()

    Dim strBd As String          '生年月日の文字列
    Dim intAg As Long            '年齢
                                        このプログラムの関数は
                                        InputBox、IsDate、DateDiff、DateSerial

    '誕生日を入力するInputBoxを表示
    strBd = InputBox("生年月日を入力してください")  ①InputBoxは関数を
                                                      実行すると現れる

                            ②InDateは入力が日付かどうかを
    If IsDate(strBd) = False Then   判断して返してくる関数
      MsgBox "入力された文字列は日付ではありません", vbCritical + vbOKOnly
      Exit Sub
    End If

    ' 現在との差を計算
    intAg = DateDiff("yyyy", strBd, Now)  ③DateDiffは現在の年から生年月日を
                                            引いて数値を返してくる関数
    'まだ誕生日ではない場合
    If Date < DateSerial(Year(Now), Month(strBd), Day(strBd)) Then
      '一つ年齢をひく
      intAg = intAg - 1  ④まだ誕生日が来ていない場合は
    End If                 上記の算出値から1を引く

    '年齢をMSgBoxで表示
    MsgBox "年齢は" + Str(intAg) + "歳です", vbInformation + vbOKOnly

    'Excelの最後に生年月日と年齢を記入
    Cells(Cells(Rows.Count, 1).End(xlUp).Row + 1, 1) = strBd
    Cells(Cells(Rows.Count, 1).End(xlUp).Row, 2) = intAg
                                   ⑤生年月日と現在年齢のリストを作成

End Sub
```

04

エクセルからパワーポイントにデータを流し込む

VBAの関数を学ぼう

パワーポイントはプレゼン用のアプリだ。プレゼンではビジュアルが大きくものを言う。みんな、いかに視覚的にデータを見せるかに腐心しているはずだ。

データは様々なところに散在しているが、統計データなどは概してエクセルにあることが多い。

たとえばエクセルにある売上データのグラフをパワーポイントで見せたいとき、エクセルのグラフデータをコピーし、パワーポイントを開いてタイトルを付け、データを貼る、というのはあまりスマートとは言えない。

簡単にエクセルデータをパワーポイントに移せるプログラムがあると便利だ。ここで紹介するプログラムもそのひとつである。

プログラミングする前にやること

まず売上グラフのデータを表示しているエクセルを立ち上げ、Alt + F8 キーでマクロを呼び出す。次にマクロ名を記入し、プログラミング画面を立ち上げる。

ここで、プログラミングを開始する前にやることがある。

画面上の「ツール」をクリック、次に「参照設定」をクリックし、参照可能なライブラリからパワーポイント16.0を選んで有効化することだ。

Microsoft PowerPoint 16.0 Object Library をチェックしてOKボタンをクリックすると、元のプログラミング画面に戻る。

ここからプログラミングスタートである。

Excelのデータを パワーポイントに流し込む

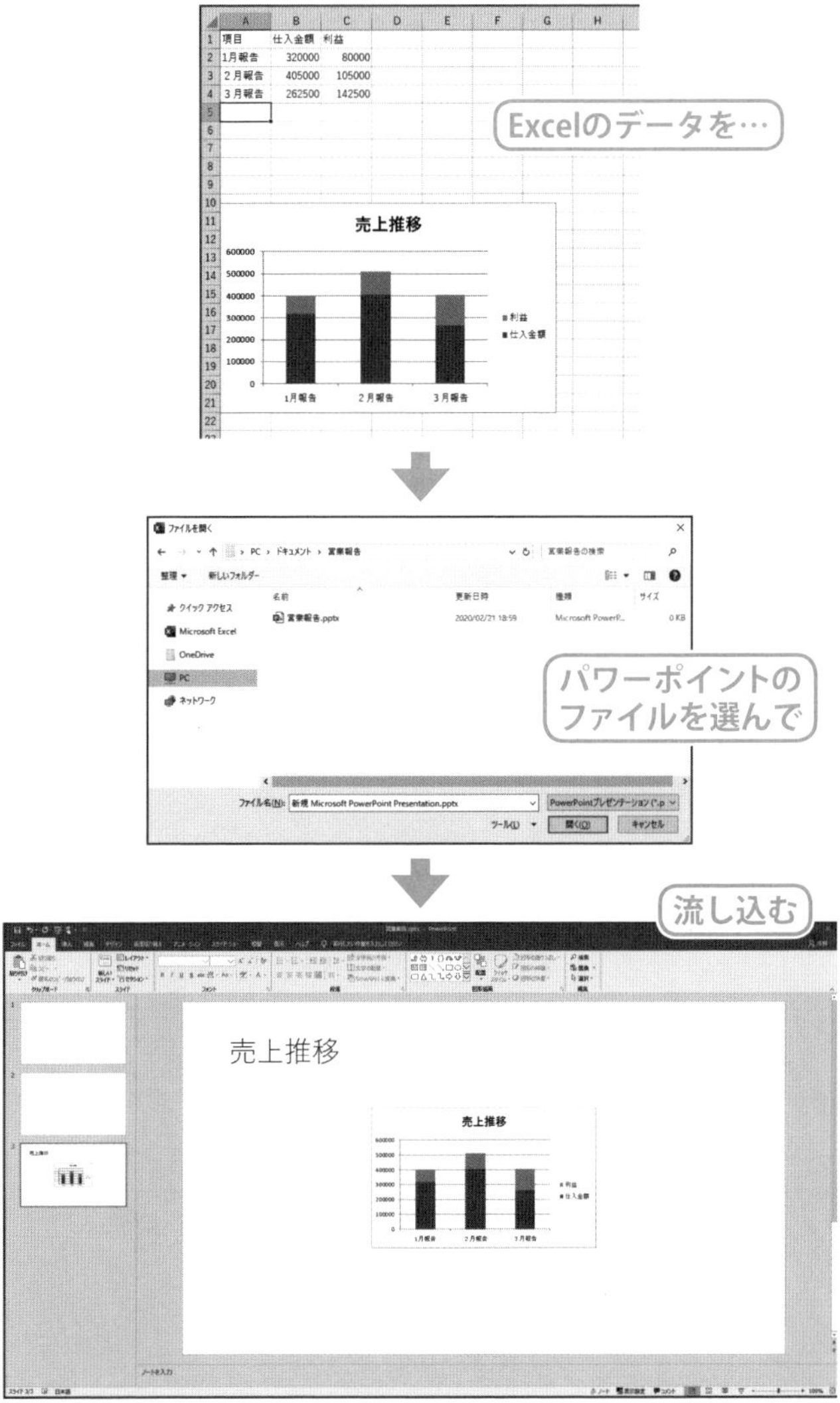

パワーポイントを開く関数

Application.GetOpenFilename が左のプログラムの関数である。

これは「ファイルを開く」ダイアログを表示する関数で、選択するとパワーポイントのファイルパスを返してくれる。

次の①では、パワーポイントのプレゼンテーションが選択できたら、という条件と、エクセルのシートにグラフがあったら、という2つの条件で選択をかけている。

両方を満たせば次の行で、パワーポイントを起動することになる。

②にある Open も関数で、文字どおり①で選択したパワーポイントを開くという意味である。

場所を指定する関数

次の行にある「スライドマスターの6番目」とは、パワーポイントのタイトルを記入する画面レイアウトを選択している。

上段にタイトルが位置するパワーポイントのレイアウトがスライドマスターの6番目にあるので、ここでは pppPt.SlideMaster.CustomLayouts(6) となっている。

AddSlide も関数だが、上の行で用意したタイトルが空白のパワーポイントをスライドに追加せよということだ。

（ ）内にある pppPt.Slides.Count + 1, cmlLo とは、最後の位置に追加せよという意味である。

次の行からはエクセルの指示となる。

ここで現在のエクセルのシート、マクロを開いたときのエクセルのシートを選択し、そこからグラフを選び、パワーポイントのスライドのタイトルにグラフのタイトルをコピペし、グラフをコピペする、という作業を指示している。

```
Sub AddPPTSlide()

    Dim strFn As String                              'ファイル名
    Dim ppaAp As PowerPoint.Application              'パワーポイントアプリ
    Dim pppPt As PowerPoint.Presentation             'プレゼンテーション
    Dim ppsSd As PowerPoint.Slide                    'スライド
    Dim cmlLo As CustomLayout                        'スライドのレイアウト

    '挿入するパワーポイントプレゼンテーションを選択
    strFn = Application.GetOpenFilename("PowerPointプレゼンテーション,*.ppt?")
        ファイルを選択する関数
    'ファイルを選択している、かつシートにグラフが存在する場合は処理を行う
    If strFn <> "False" And ActiveSheet.ChartObjects.Count > 0 Then ①
                          パワポのプレゼンテーションが選択でき、
                          エクセルのシートにグラフがあれば作業開始
      'パワーポイントの起動
      Set ppaAp = New PowerPoint.Application
      ppaAp.Visible = True  パワポを起動

                                          ②選択したプレゼンテーション
      '指定したプレゼンテーションを開く       を開く
      Set pppPt = ppaAp.Presentations.Open(strFn)  Openがプレゼンテーションを
                                            開く関数
      'スライドマスターの6番目(白紙+タイトル)を指定してスライドを追加
      Set cmlLo = pppPt.SlideMaster.CustomLayouts(6)
      Set ppsSd = pppPt.Slides.AddSlide(pppPt.Slides.Count + 1, cmlLo)

      '現在のシートのグラフを選択
      ActiveSheet.ChartObjects(1).Select  売上データのグラフを選択

      'スライドのタイトルをグラフのタイトルにする
      ppsSd.Shapes.Title.TextFrame2.TextRange.Text = ActiveChart.ChartTitle.Text

      'グラフを画像としてコピー&ペースト
      ActiveChart.CopyPicture
      ppsSd.Shapes.Paste

    End If


End Sub
```

05

番外　結果からプログラムの中味を想像してみよう！

郵便番号を入力すると自動的に住所を表示する

本項目の「郵便番号から住所を表示する」というのはプログラミングではないものの、エクセルで住所録を作るときには便利な機能である。

ここまで、いくつかエクセルの住所録をテーマにしたプログラミングを取り上げてきたが、住所録そのものを簡単に作る方法は述べていない。

エクセル住所録の応用プログラムは有用なスキルだが、住所録を簡単に作る方法も必要と思うので、ここではあえて1件だけ、プログラミングからはなれてはいるが紹介しておこう。

郵便番号だけを打ち込めば番地を除いた住所が自動的に表示されるので、住所をいちいち入力する煩わしさから解放される。

ここでのねらいはもうひとつある。コンピューターの動きからプログラムを想像してみることだ。

エクセルのオプションでアドインを設定

作業手順を説明しよう。ここでは、郵便番号から住所を表示するウィザードを使用する。

まず、エクセルで郵便番号のみを打ち込んだ住所録を作成する。次に郵便番号変換ウィザードのURLから「アドイン」をダウンロードしてインストール。アドインを取得したら、再び郵便番号のみのエクセルの住所録に戻り、オプションを開く。

オプションはエクセル上部の検索で呼び出すことができる。左側の項目からアドインを選び、OKボタンをクリックする。

郵便番号から住所を表示する

郵便番号変換のアドインをダウンロードしインストール

https://archive.codeplex.com/?p=excelzipcode7japan

※インストールの方法は環境により異なります。

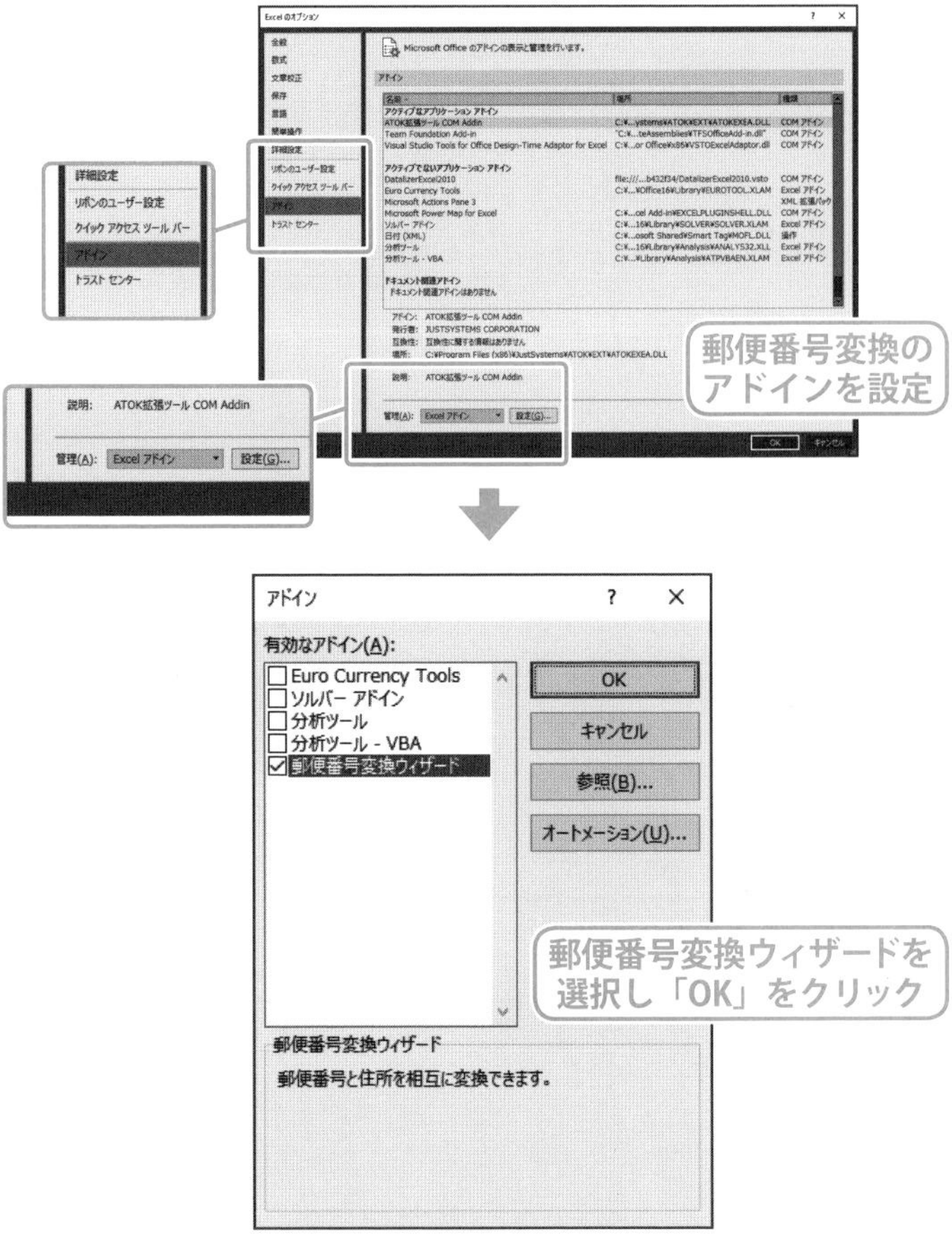

オプションのOKボタンをクリックすると、113ページの図にあるとおり、「アドイン」のボックスが現れる。

そこで「郵便番号変換ウィザード」を選択してOKボタンをクリックする。

裏ではプログラムが動いている

郵便番号変換ウィザードの設定がすんだら、郵便番号だけを打ち込んだエクセルシートに戻る。

ウィザードのメッセージボックスでは、郵便番号から住所を出すか、住所から郵便番号を出すか、いずれを選ぶか問い合わせてきているので、「郵便番号から住所を生成する」をマークして「次へ」のボタンをクリックする。

次のウィザードのメッセージボックスでは、郵便番号変換の範囲と変換した住所を表記する範囲を聞いてくるので、住所に変換したい郵便番号の範囲および住所表示の範囲をカーソルで指定する。

エクセルの範囲指定を終えて完了ボタンをクリックすると、エクセルの住所録に住所が表記される。

これで、面倒な住所記入の手間が軽減されるはずである。

こうしたウィザードの機能の裏側でも、当然のことながらプログラムが書き込まれており、コンピューターはその指示に従って動いている。

そのプログラムは、IME郵便番号辞書の中にある郵便番号簿と、そこに記載された住所を参照して住所を引っぱり出してきて、エクセルのリストの定められたセルに記載するという作業を繰り返し行う、という命令をコンピューターにしているわけである。

コンピューターの動きからプログラムを想像してみると、プログラミングが身近になる。

Excel シートで郵便番号を入力すると自動的に住所を表記する

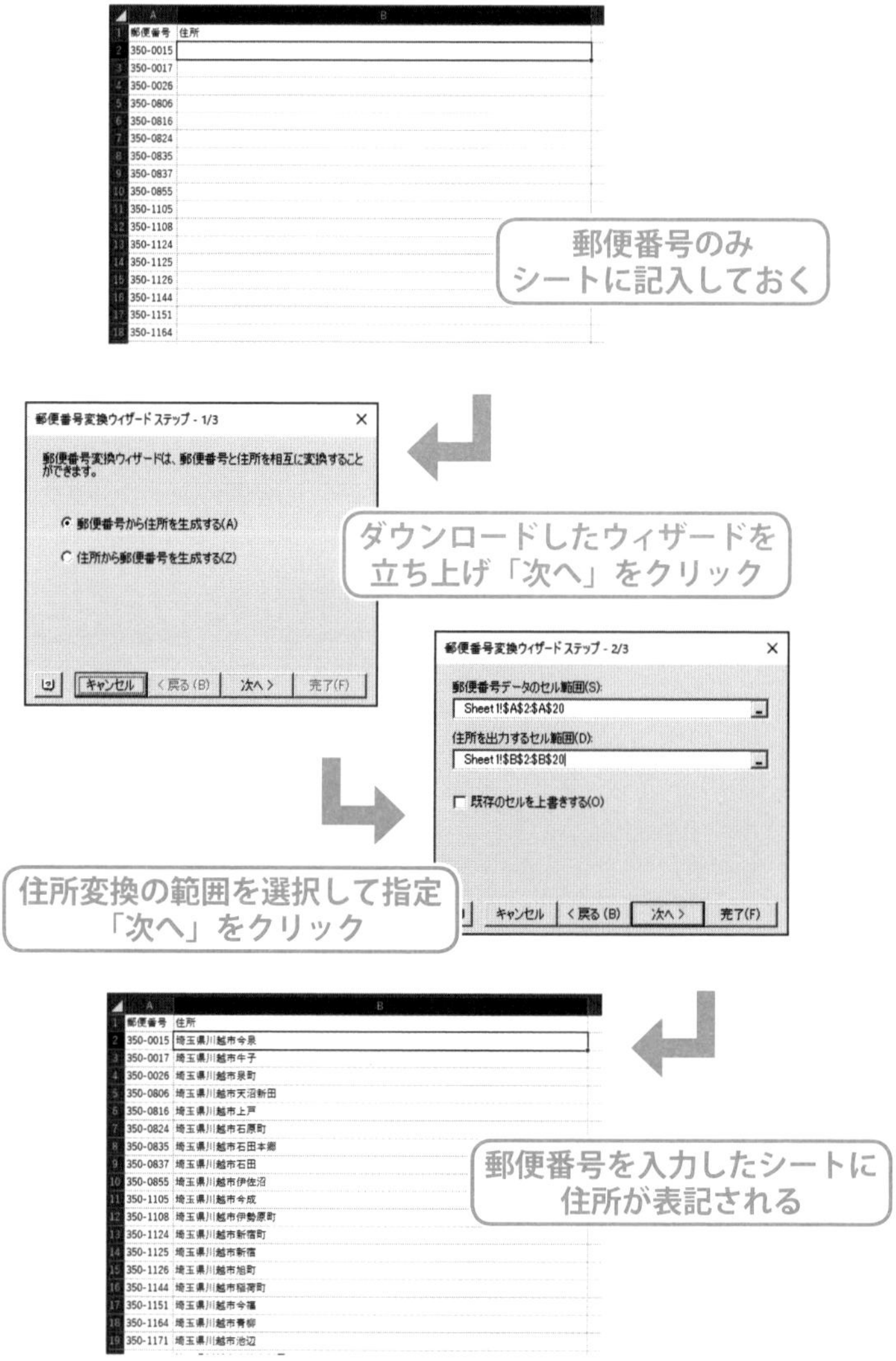

第5章

実物EXCELプログラミング講座

応用力で勝負！ライブラリと連動でステップアップ

この章で使うEXCELデータ

- 名簿

EXCEL以外で使うもの

- Microsoft Outlook

ライブラリの参照

- Microsoft HTML Object Library
- Microsoft Internet Controls
- Microsoft Outlook 16.0 Object Library

01

アウトルックの受信メールをエクセルで一覧にする

VBAの反復構造を学ぼう

この後で、エクセルの情報から一斉にメールを配信するプログラムも紹介しているが、ここではまず受信したメールをエクセルに一覧表示するプログラミングのやり方について述べよう。

メールのやり取りを振り返ってみるのは、事の経緯を再確認し、もしボタンのかけ違いなどが起こっていれば、どこからそうなったのかを突き止めるのに役立つ。

とはいえメールの受信ボックスを延々たどっていくのは面倒なので、ついつい疎かにしてしまいがちだ。

このプログラムで、定期的にメールの受信記録をエクセルへ自動的に移しておけば、メールの管理に一役買うはずだ。

参照設定でライブラリを有効に

アウトルックの受信メールからエクセルに情報を移すには、アウトルックとマクロを連動しておく必要がある。

この後でも何度か行うが、受信メールの情報を移すための空のエクセルシートを立ち上げてマクロを呼び出し、プログラム画面を開く。

上部の「ツール」をクリックし、次いで参照設定を選んで開くとライブラリの一覧が表れる。

そこで Microsoft Outlook 16.0 Object Library にチェックを入れてOKボタンをクリックする。

これで再びプログラミング画面に戻るので、プログラミングをスタートする。

受信メールを Excel に一覧で表示する

アウトルックの受信メールを選択…

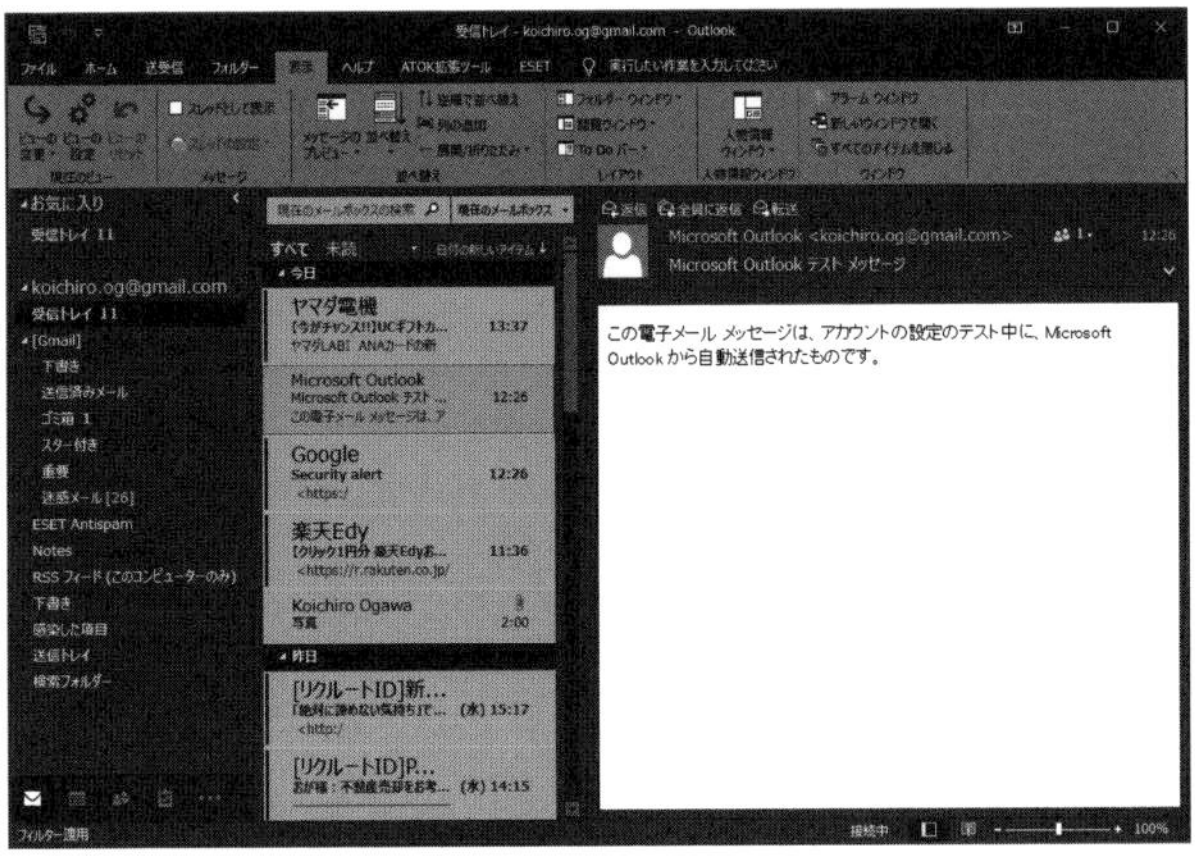

Excelで一覧にする

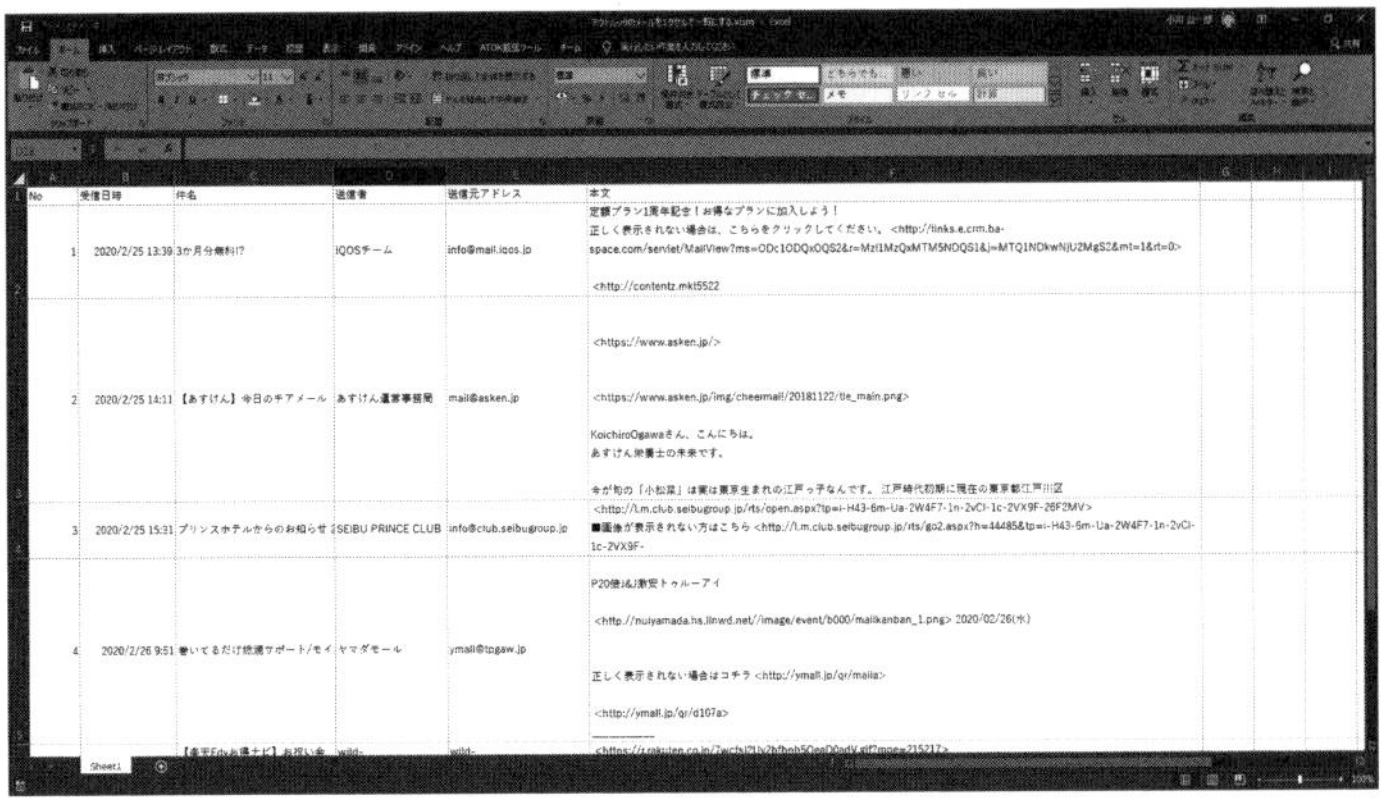

アウトルックの情報を次々エクセルに移す

アウトルックを開いて受信メール情報をエクセルに移すのがこのプログラムである。

したがって、プログラムの内容にそう難しいものはない。

変数と関数がわかれば、あとは上から順番に作業をしているだけだから、何の指示をしているかはわかりやすいはずだ。

変数の宣言は、エクセルとアウトルックの両方について行っている。

プログラミングの冒頭には変数がある場合が多い（定数の指定から始まるケースもあるが）。

変数が決まっていない状態とは、料理をはじめるのに道具がそろっていない状態と同じことだからだ。

運んでこられるものは何度でも運ぶ

プログラムの①は、アウトルックを立ち上げ、送られたメールのフォルダーの情報を取得するということである。

②では、フォルダー内の情報（受信日時、件名、送信者名、送信者のメールアドレス、本文メッセージ）をエクセルシートで指定したセルに次々と記入する。

それをアウトルックにある受信メールの数だけ繰り返すというのがこのブロックの指示だ。

②の作業が終了したら、作業はすべて終了である。

求める作業自体はNextまでだが（ForからNextまでが反復構造の範囲を示す）、オブジェクトは解放しないとプログラムに残ることがあるので、最後にその指示をしている（③）。

```
Sub OutlookMailReceiv()
    Dim lngCt As Long                  'エクセルの行
    Dim olkAp As Outlook.Application   'アウトルック
    Dim objNs As Object                'アウトルック用オブジェクト
    Dim objMi As Object                'アウトルック用オブジェクト
    Dim objGf As Object                'アウトルック用オブジェクト

    'アウトルックを起動
    Set olkAp = CreateObject("Outlook.Application")
    Set objNs = olkAp.GetNamespace("MAPI")
    Set objGf = objNs.GetDefaultFolder(6)
    lngCt = 2

    For i = 1 To objGf.Items.Count
        Set objMi = objGf.Items(i)
        'メールの内容を取得しエクセルに入力
        With Sheet1
            .Cells(lngCt, 1).Value = i
            .Cells(lngCt, 2).Value = objMi.ReceivedTime
            .Cells(lngCt, 3).Value = objMi.Subject
            .Cells(lngCt, 4).Value = objMi.SenderName
            .Cells(lngCt, 5).Value = objMi.SenderEmailAddress
            .Cells(lngCt, 6).Value = Left(objMi.Body, 200)
        End With
        lngCt = lngCt + 1
    Next

    'オブジェクトの解放
    Set olkAp = Nothing
    Set objNs = Nothing
    Set objGf = Nothing
End Sub
```

変数の宣言
だいたいプログラムの冒頭にある

①アウトルックを立ち上げ、
フォルダー内のメール情報を取得

エクセル２行目へ

反復構造

セル１行目に項目を記入
セル２行目に受信日時を記入
セル３行目に件名を記入
セル４行目に送信者名を記入
セル５行目に送信者のメールアドレスを記入
セル６行目に本文メッセージを記入

②

１行目の記入が終了したら１行分移動

③このままだとオブジェクトが残ることがあるので
解放の指示をしておく

02

グーグル翻訳を使ってエクセルで対訳表を作る

VBAの反復構造を学ぼう

音声による自動翻訳を含め、自動翻訳アプリは年々性能が上がっている。

日本語を外国語に変換するには、音声の場合、日本語の発音を正確に捉える必要がある。

かつては声紋の特徴から、「あ」なり「お」なりの発声音を特定していたが、いまでは前後の文脈から何と言っているのかを特定する。

こうしたことができるのは、多種多様な学習データが膨大に蓄積されているからだ。

日本語に限らず世界の主要言語でデータの蓄積は進んでいる。

そのためグーグルの翻訳でも、英語のみならず限られた範囲でしか通用しない言語まで、その意味を知ることができる。

シートを指させばコミュニケーション可能

相当マイナーな言語でもグーグルで翻訳できる。発音までカバーすることはできないものの、対訳表を作れば、日本語で言いたい単語の欄に対応した外国語の欄を指さすことで、とりあえずこちらの言わんとすることを伝えることはできる。

相手が対訳表の外国語の欄を指させば、こちらも相手の言わんとすることがわかる。いわば対訳シートを介した「筆談」の成立である。

手順としては、新しいエクセルのシートを開いて、日本語の表現を原語欄に記入する（左ページの上図参照）。次にマクロを呼び出してプログラミングし、エクセルシートに戻ってマクロを実行すると対訳表ができる。

Google 翻訳を活用して対訳表を作る

参照設定なしでエクスプローラー始動

このプログラムでは、インターネットエクスプローラーを①で設定し、起動している。

次項「インターネットの情報をエクセルで自動採取」では参照設定を行っているが、実はどちらでも動く。

参照設定するかしないかは、人がプログラムを読みやすいかどうかで判断されている。ただ、参照設定を省くことが、必ずしもプログラムの短縮化を意味するとは限らない。

「英語に翻訳」と指示しているのは、= en & text だから、en（English)を他の言語にすればその言語の翻訳も可能となる。

日本語の対訳を繰り返し引っ張ってくる

このプログラムでは、反復構造が3カ所ある。

最初は②で、インターネットエクスプローラーの英語翻訳機能を呼び出し、準備が整うまで待つという繰り返し。

DoEvents はウィンドウズへの指示で、待っている間はエクセル以外の作業をせよということ。これがないと、コンピューターは素直に待機という行動を準備が整うまで繰り返すことができない。

次の反復が③で、日本語に対する外国語（英語）の翻訳が終わるまで繰り返し待つ、である。

コンピューターは上から順番に読んでいくので、待つという作業を繰り返させないと、翻訳結果が返ってくる前に次の作業へ行ってしまう。

④は3つめの反復で、日本語の外国語（英語）翻訳をエクセルのセルに記入し終わったら次の日本語の対訳にかかり、これを日本語リストのセルが空になるまで繰り返す。

```
Sub Translate()
    Dim objIe As Object         'IE
    Dim lngCt As Long           '行のカウント

    'IEを使用可能にする
    Set objIe = CreateObject("InternetExplorer.Application")  ①インターネット
    objIe.Visible = False                                       エクスプローラーを起動

    '翻訳を開始する行を指定
    lngCt = 2

    Do While Range("A" & lngCt).Value <> ""
        '検索実行                                  グーグル翻訳機能を呼び出す
        objIe.navigate "https://translate.google.co.jp/?sl=ja&tl=en&text=" & Range("A" & lngCt).Value
        '表示完了まで待機
        Do While objIe.Busy Or objIe.ReadyState <> 4
            DoEvents   このマクロの待機中はウィンドウズは      ②
        Loop           別の作業をせよという指示

        '翻訳結果が出るまで待機
        Do While objIe.document.getElementsByClassName("translation").Length = 0
            DoEvents                                                            ③
        Loop

        '翻訳結果をエクセルに入力
        Range("B" & lngCt).Value = objIe.document.getElementsByClassName("translation")(0).innerText

        lngCt = lngCt + 1   翻訳と記入が終了したら次の語に移り作業する
    Loop

    'IEを閉じる
    objIe.Quit
End Sub
```

④日本語リストの語がなくなるまで翻訳&記入を繰り返す

03

VBAの演算子を学ぼう

インターネットの情報をエクセルで自動採取

新製品開発などの企画では、類似製品にどんなものがあるか、それらと開発中の自社製品とではどんな違いがあるかといった資料を求められることがある。そういうとき、類似製品の情報をネットから取ることもある。類似製品の情報、すなわち検索結果をエクセルで一覧にし、企画会議の資料とするようなケースは少なくないだろう。

エクセルで一覧にするなら、ネットで検索した情報をダイレクトにエクセルに移すことができたら、資料作成者としてはずいぶん助かる。

ここで紹介するプログラムは、ネット上にあるパソコンのランキングをエクセルにリストとして表示するというものだ。ネット検索して、結果をエクセルに貼り付けるというアクションをいっぺんに行うことができる。

より使い勝手のよい検索も可能

ランキングの検索はインターネットエクスプローラーで行う。空のエクセルを立ち上げて Alt + F8 でエクセルのマクロを開き、マクロ名（InformationGathering）を記入して作成ボタンをクリックし、プログラミング画面を開くのはこれまで通りだ。

ただしこのプログラムでは、プログラミング画面の上部にある「ツール」ボタンをクリック。参照設定を開いてライブラリから Microsoft HTML Object Library と Microsoft Internet Controls にチェックを入れておく必要がある。

インターネット情報を Excelで取得

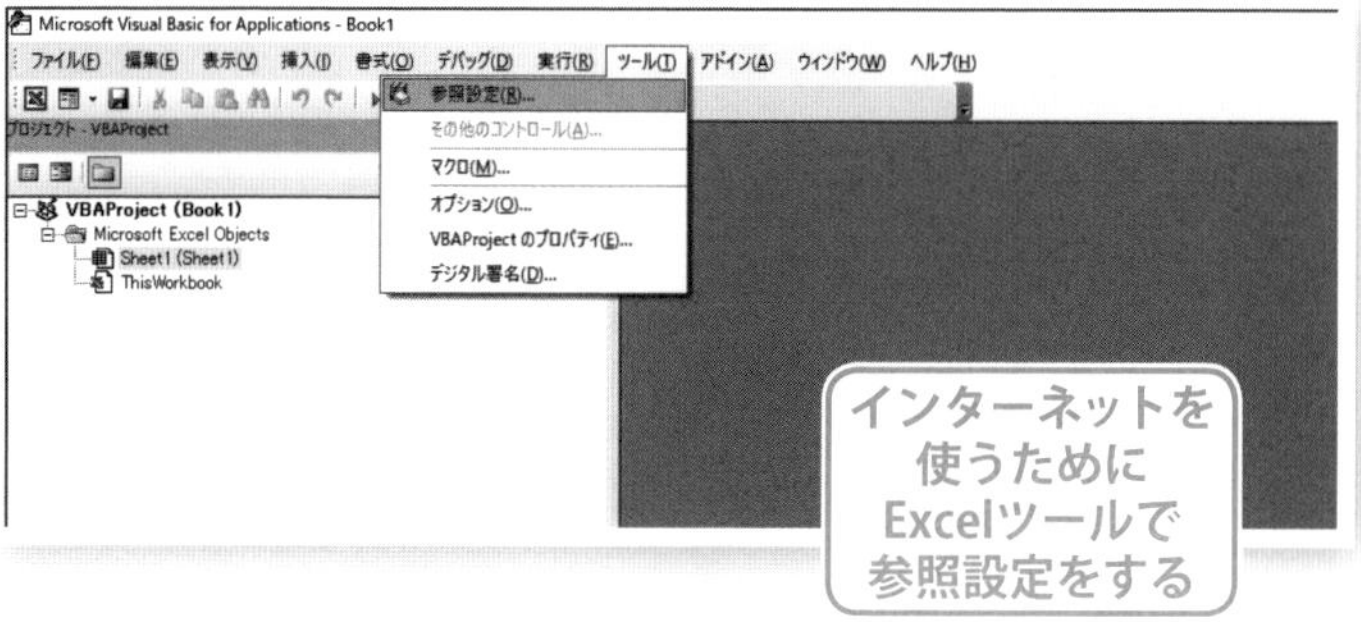

Microsoft HTML Object Libraryを
チェックし「OK」ボタンをクリック

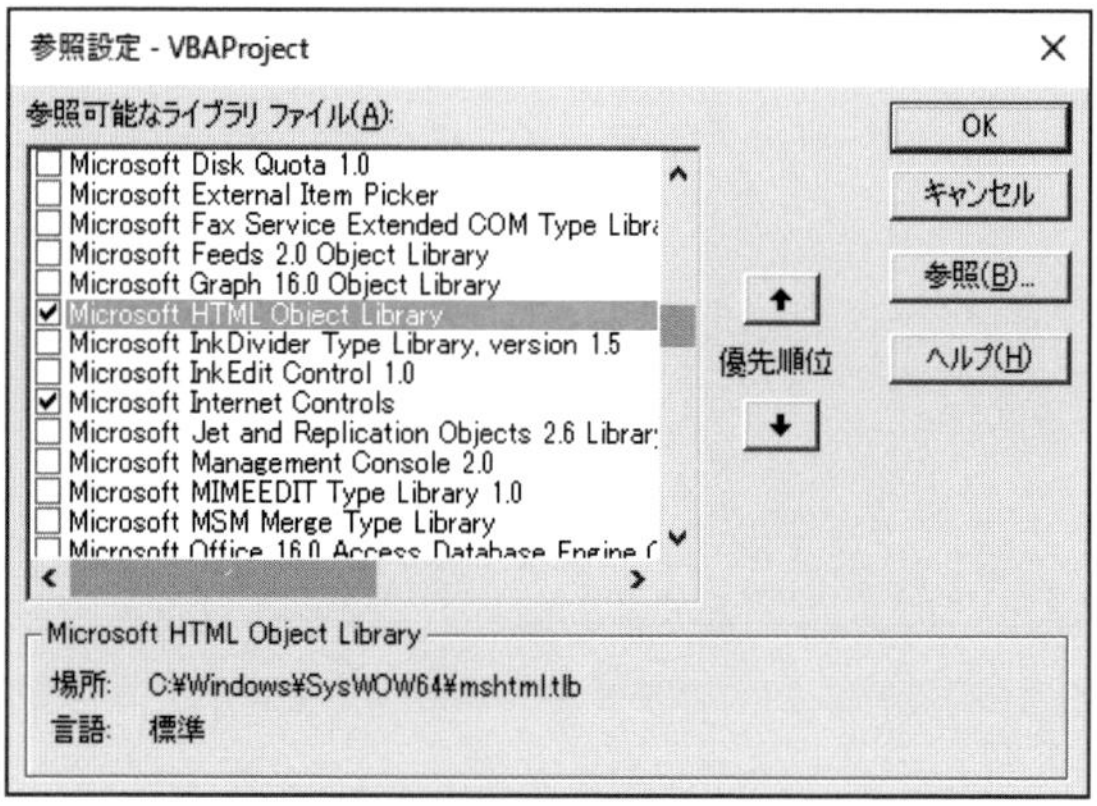

演算子の意味がわかると表記の意味もわかる

このプログラムで、演算子は「=」と「Or」と「<>」である。

変数名を宣言した後に、①で変数の中味を指定している。Set iexle = New InternetExplorer の「=」は代入を意味する。

変数 iexle に New InternetExplorer を代入という意味だが、「変数 iexle の中味は New InternetExplorer です」ということである。

その下の行の「=」も代入だが、「インターネットエクスプローラーを見られるようにする。はい、そうです」ということになる。

プログラミングで「=」は頻繁に使われる。数式でも使われるし、代入の意味でも使われる。

変数の後ろにある「=」は、変数に中味を代入するという意味だと思ってよい。

「<>」の意味は Not（……でない）

②の Do While iexle.Busy = True は、インターネットエクスプローラーがビジーのときは、である。

後ろの Or は文字どおり「または」で、iexle の準備が整っていないときには DoEvents（何か他のことをして待機）となる。Or の後ろにある「<>」も演算子で、意味は not だから、<> READYSTATE_COMPLETE とは「準備不完全」という意味になる。

インターネットエクスプローラーがビジーまたは準備できていないときは、Do While と Loop の間の作業を繰り返し、条件が整うまで待つという指示である。

中ほどから下の行に「=」が続いて出てくるが、これらの「=」はエクセルのセルに値を代入するという意味で、ネットの情報を繰り返しセルに移していく。

```
Sub InformationGathering()

    Dim iexle As InternetExplorer       'IEオブジェクト
    Dim htdDc As HTMLDocument           'HTMLドキュメント
    Dim htrTr As HTMLTableRow           'HTMLテーブル

    Dim vrtDt As Variant                '文字列分解用

    'IEを起動する
    Set iexle = New InternetExplorer
    iexle.Visible = True

    'URLを指定して開くまで待機
    iexle.Navigate "https://kakaku.com/ranking/pc/"
    Do While iexle.Busy = True Or iexle.readyState <> READYSTATE_COMPLETE
        DoEvents
    Loop
    Set htdDc = iexle.Document

    '最初の行を指定
    Range("A2").Activate

    '全部の<tr>要素を取り出す
    For Each htrTr In htdDc.getElementsByTagName("tbody")(0).getElementsByTagName("tr")

        '改行文字（vbCrLf）で分割
        vrtDt = Split(htrTr.innerText, vbCrLf)

        '順位が書いてない部分は読み飛ばす
        If InStr(vrtDt(1), "位") Then
          '順位
          ActiveCell.Value = vrtDt(1)
          'メーカー
           ActiveCell.Offset(0, 1).Value = vrtDt(5)
          '商品名
          ActiveCell.Offset(0, 2).Value = vrtDt(6)
          '値段
          ActiveCell.Offset(0, 3).Value = vrtDt(8)

          '次の行へ
          ActiveCell.Offset(1, 0).Activate
        End If

    Next htrTr
    'IEを閉じる
    iexle.Quit

End Sub
```

変数の宣言

①IEオブジェクトを変数iexleに代入 Setで起動
IEは見える状態に

演算子

②IEがビジー状態または準備不完全のときはコンピューターは別の作業をしながら待機する

インターネット情報はHTML形式に

順位のある情報は順位、メーカー名、商品名、値段ごとにシートへ記入

04

VBAの演算子を学ぼう

エクセルの情報から一斉にメールを送信する

見知らぬアドレスから突然送られてくるメールやスパムメールは迷惑なものだ。

だが、たとえば自社主催のイベントに来ていただいた人にお礼のメールを送るというようなケースでは、たとえは悪いがスパムメールのように一斉にお礼メールを送りたいものである。

相手が何十人、何百人となると、メールを書いて送る作業も大変である。

その手間を省こうというのが、ここで紹介するプログラムである。

アウトルックを使う設定を準備

まず、送り先のメールアドレス（たとえば来場者名簿からコピーしたものなど）、件名、本文メッセージを記入したエクセルのシートを用意する。

準備ができたらエクセルマクロを呼び出し、マクロ名（ここでは OutlookMail ）を付けてプログラム画面を開く。

ここで「ツール」から参照設定のライブラリのファイルを呼び出す。Microsoft Outlook 16.0 Object Library にチェックを入れ、アウトルックが使えるように設定してからプログラミングを開始する。

プログラムのコードを打ち込んだら、エクセルシートに戻って Alt + F8 キーで再びマクロのダイアログボックスを呼び出す。

実行ボタンをクリックすると、アウトルックからメールが一斉に送信される。

Excelの情報から一斉にメールを送信する

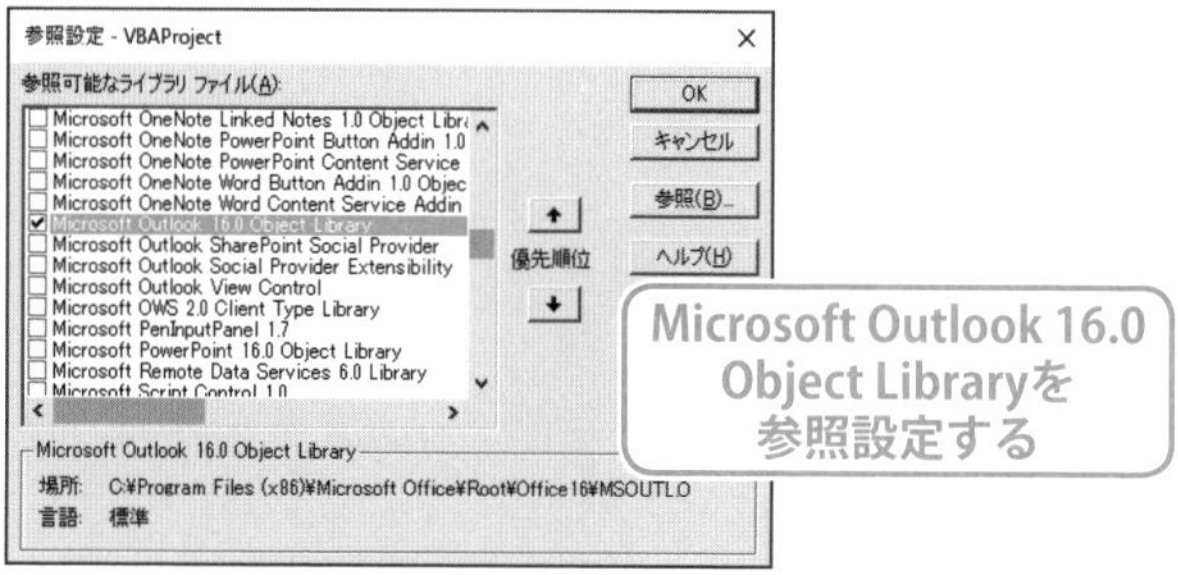

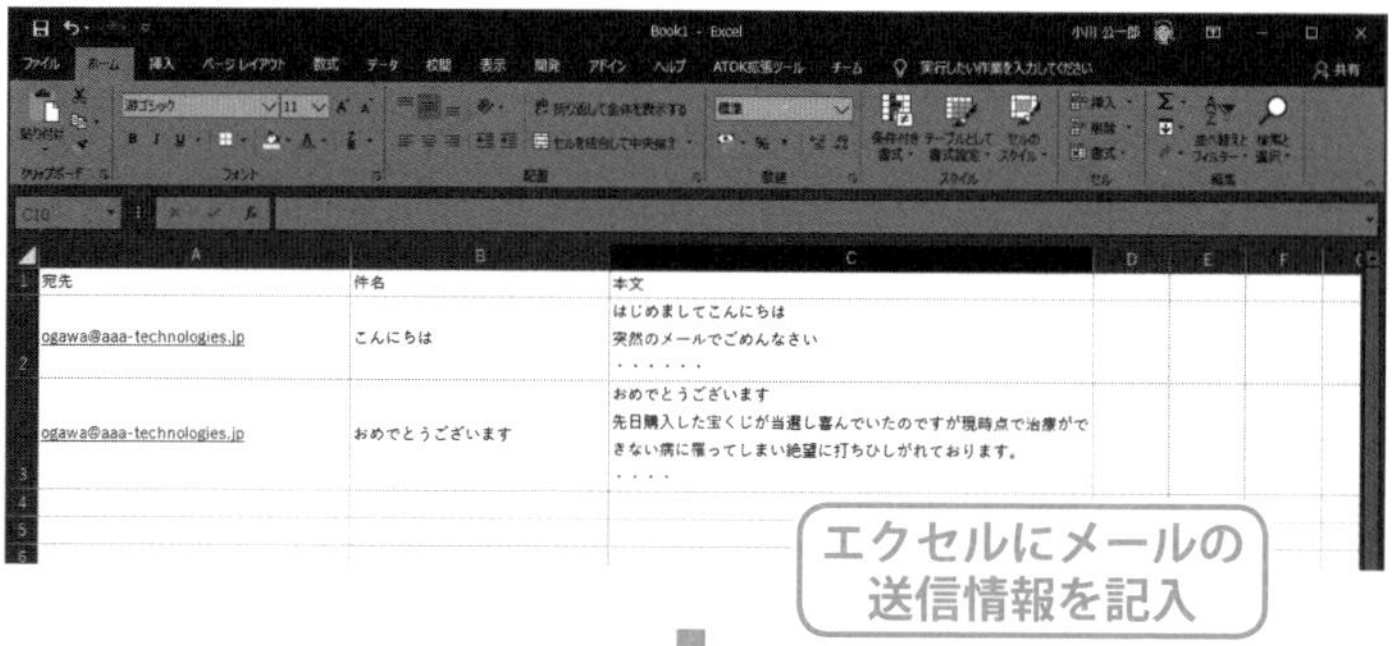

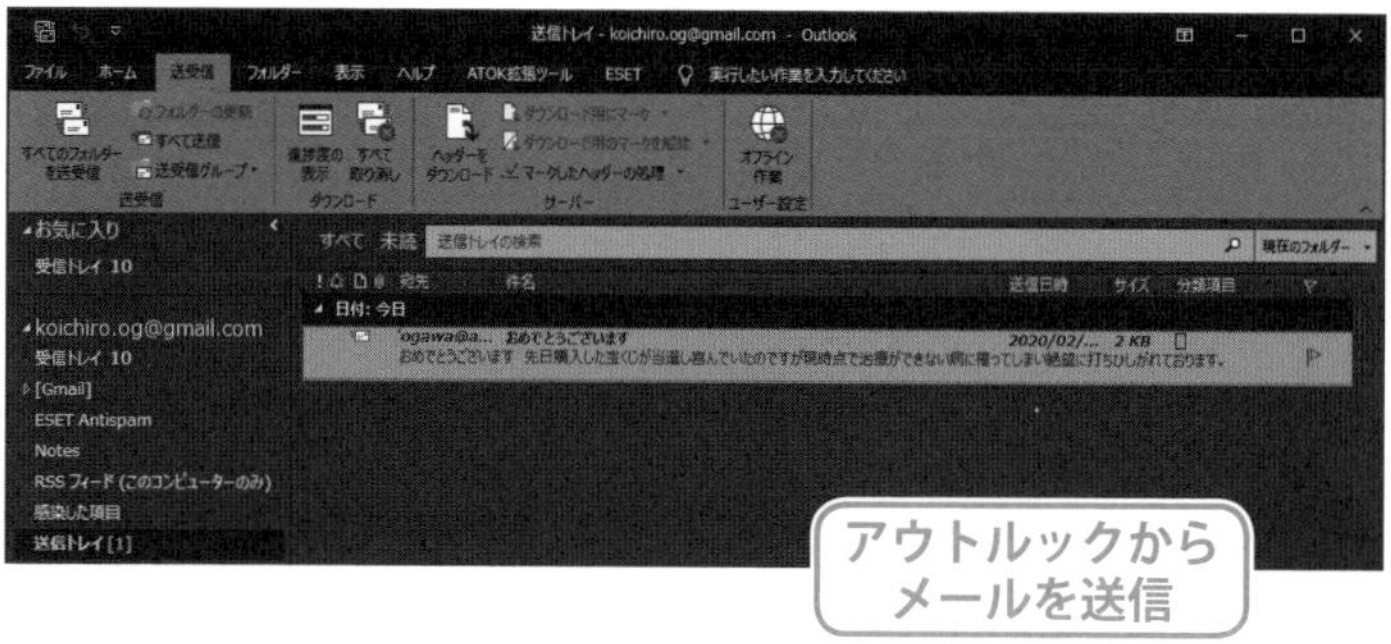

アドレスごとにメールを準備するという命令

このプログラムで使われている演算子は、簡単に言うと「=」だけである。概ね代入を意味する「=」だ。

変数 strTo = Sheet1.Cells(i, 1).Value と、その下の strSj = Sheet1.Cells(i, 2).Value、さらにその下の strMb = Sheet1.Cells(i, 3).Value の「=」が代入の「=」である。

この3行をまとめて表現すると、シート1（いま開いているシート）のメールアドレスと件名、本文が変数に代入される値ということだ。

For i = 2 To 100 から Next i までが繰り返しの作業だが、セルの2行目というのは名簿のメールアドレスと送り先名のはじまる行である。100という数字は、ここまでにしておけば取りこぼしはないだろうという見込みの数値である。

セルが空白なら作業を止める

なぜ見込みの数でよいのかというと、すぐ下にある If Sheet1.Cells(i, 1).Value = "" Then が、もしセルが空であれば Exit For（繰り返しの作業を止めて出る）とあるからだ。

「""」は演算子ではないのだが、プログラミングではよく使われる記号だ。

「""」は文字列を表記する記号で、「"日本"」とあれば「日本」と表記されるし、「""」とあれば中味はカラであるとコンピューターは認識する。

セルの値が空なら作業をやめるので、たとえ100まで指定していても、50しかアドレスと送り先名がなければそこで繰り返し作業は終了となるので問題はないことになる。

```
Sub OutlookMail()
    Dim strTo As String              '宛先
    Dim strSj As String              '件名
    Dim strMb As String              '本文
    Dim oltAp As Outlook.Application 'Outlookで使用するオブジェクト
    Dim oltMi As Outlook.MailItem    'Outlookで使用するオブジェクト


    For i = 2 To 100
        If Sheet1.Cells(i, 1).Value = "" Then
            Exit For
        End If

        '宛先、件名、本文を取得
        strTo = Sheet1.Cells(i, 1).Value
        strSj = Sheet1.Cells(i, 2).Value
        strMb = Sheet1.Cells(i, 3).Value

        'メールを作成
        Set oltAp = CreateObject("Outlook.Application")
        Set oltMi = oltAp.CreateItem(olMailItem)
        oltMi.BodyFormat = 3    'リッチテキスト
        oltMi.To = strTo
        oltMi.subject = strSj
        oltMi.Body = strMb

        'メールを送信
        oltMi.Send

    Next i

    Set oltAp = Nothing
    Set oltMi = Nothing
End Sub
```

変数の宣言

変数に中味を代入
代入するのはシートにある
それぞれのセルの情報

アウトルックを開いて
メールシステムを起動

宛先を入力
件名を入力
本文を入力

シートの次の宛先、件名、本文の行へ

05

VBAの演算子を学ぼう

テンプレートを使って自動で宛名入りメールを送信

前項のプログラムは、エクセルにある件名、メッセージを各メールアドレスに一斉に送信するというものだったが、ここで紹介するのは、メッセージは同じでも、送信相手の名前をきちんとメール本文に記すようにした別バージョンだ。

自社主催のイベント来場者にお礼のメールを送るときは、お礼状である以上、きちんと相手の名前を記した上で送りたい。

そういうとき、メール本文にいちいち相手の名前を書かなくてもよいのが便利な点だ。

来場者名簿を用意

まず、来場者名簿とそのメールアドレスを用意する。

次に空のエクセルシートを立ち上げ、セル A1 に「件名」と入力し、セル B1 に件名文を入力、A2 には「本文」、B2 に本文メッセージを書き込む。

そしてエクセルシートのセル A4 以降にメールアドレスを、B4 以降に参加者の名前を記入する。

来場者名簿がエクセルで作られていたなら、来場者名簿のメールアドレスと氏名をコピーし、シートに貼り付ければよい。

次にエクセルマクロのプログラミング画面から、参照設定のライブラリファイルを呼び出すのは前項と同じ手順だ。

Microsoft Outlook 16.0 Object Library にチェックを入れて、アウトルックが使えるように設定する。

テンプレートを使って Excel で宛名入りメールを送る

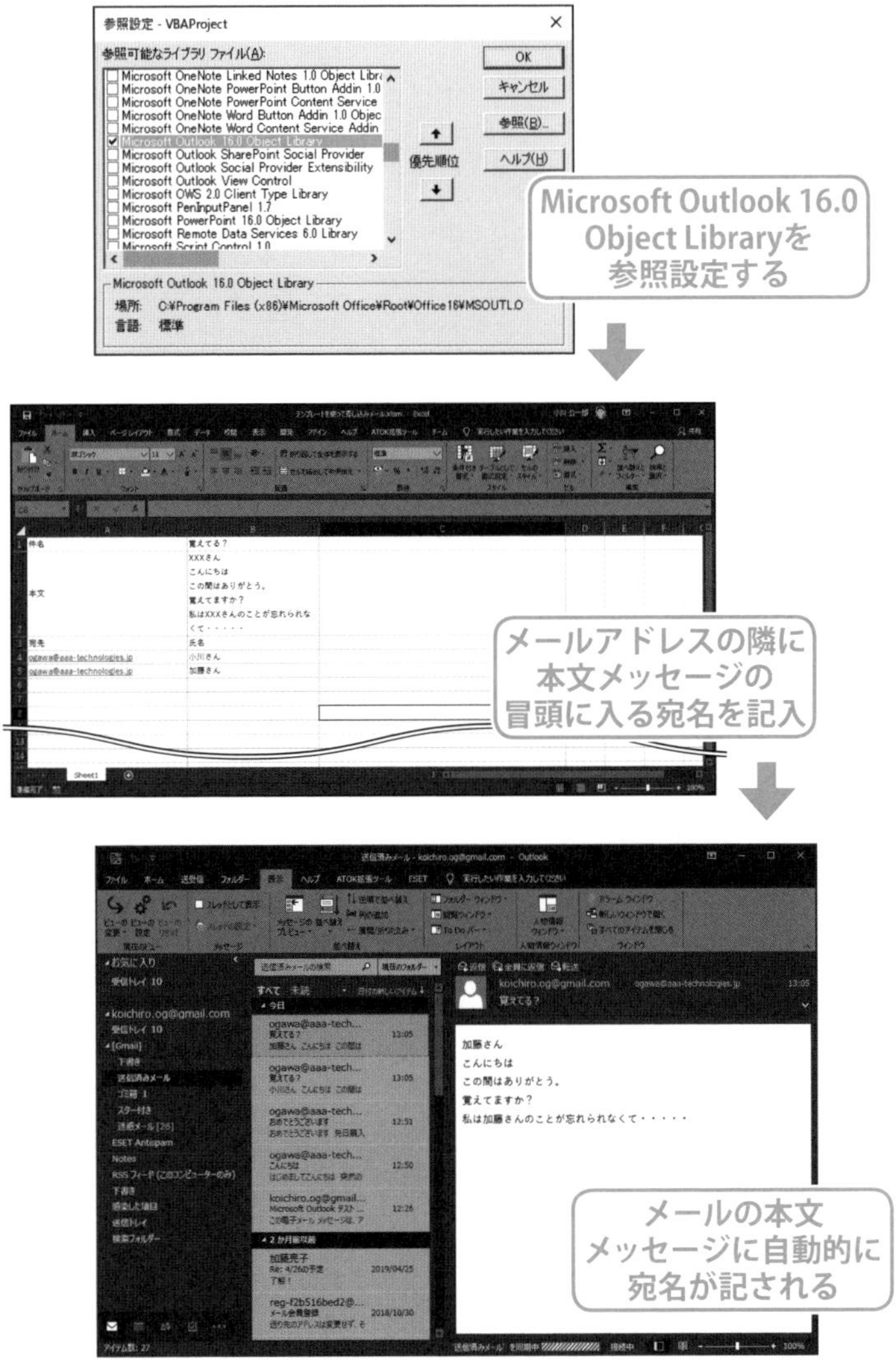
参照設定 - VBAProject
参照可能なライブラリ ファイル(A):
Microsoft Outlook 16.0 Object Library
Microsoft Outlook 16.0 Object Libraryを参照設定する
メールアドレスの隣に本文メッセージの冒頭に入る宛名を記入
加藤さん
こんにちは
この間はありがとう。
覚えてますか？
私は加藤さんのことが忘れられなくて・・・・・
メールの本文メッセージに自動的に宛名が記される

アウトルックと連動してメール本文を作る

このプログラムの演算子も代入の「=」と比較演算子の「=」だ。その他の記号は演算子ではなく、それぞれに意味を持っている。

Sheet1.Cells の「.」は、「シート1のセル」の「の」と読んでもらってよい。Cells(1, 2) のカンマは句読点として使っている。

For i = 4 To 100 も前項と同様で、エクセルシート0の4行目から100行目まで作業を繰り返すということである（①）。

エクセルシートとアウトルックの関連付けが②で、中ほどの oltMi.BodyFormat = 3 とは、メール本文の書式はリッチテキスト形式であると設定している（「3」はリッチテキストを意味している）。

オブジェクトは最後に解放

次の oltMi.To = strTo と oltMi.subject = strSj は、アウトルックのメール宛先と件名にエクセルシートの値を使うように指示している。

③では、oltMi.Body（メール本文）はエクセルシートの本文中にある XXさん という部分を、同じくエクセルシートの B4 以降の氏名に次々と差し替えて送信せよという指示になる。

Replace が差し替えの関数で、XXさん をエクセルシートにある氏名に変換して返すという作業をしてくれる。

プログラミング終了を意味する End Sub の手前にある Set oltAp = Nothing と Set oltMi = Nothing は、作業が終わったらオブジェクトを解放するという意味である。

```
Sub OutlookMail()
    Dim strTo As String                   '宛先
    Dim strSj As String                   '件名
    Dim strMb As String                   '本文
    Dim oltAp As Outlook.Application 'Outlookで使用するオブジェクト
    Dim oltMi As Outlook.MailItem       'Outlookで使用するオブジェクト
                                        （変数の宣言）

    '件名、本文を取得
    strSj = Sheet1.Cells(1, 2).Value      変数strSjにシートの件名欄の情報を代入
    strMb = Sheet1.Cells(2, 2).Value     変数strMbにシートの本文欄の情報を代入
    For i = 4 To 100 ①
        If Sheet1.Cells(i, 1).Value = "" Then   セルが空なら作業をやめる
            Exit For                              （セルに情報がなくなるまで
        End If                                     作業を繰り返す）

        '宛先
        strTo = Sheet1.Cells(i, 1).Value
                                                        ②アウトルックで
                                           本文は        メールを作成
        'メールを作成                  リッチテキスト形式
        Set oltAp = CreateObject("Outlook.Application")
        Sct oltMi = oltAp.CreateItem(olMailItem)
        oltMi.BodyFormat = 3   'リッチテキスト
        oltMi.To = strTo         エクセルシートの宛先を使う
        oltMi.subject = strSj   エクセルシートの件名を使う
        oltMi.Body = Replace(strMb, "XXXさん", Sheet1.Cells(i, 2).Value)
        ③メール本文の先頭が「XXXさん」（送信先の人の名前）に置き換わる
        'メールを送信
        oltMi.Send

    Next i

    Set oltAp = Nothing
    Set oltMi = Nothing     オブジェクトの解放
End Sub
```

第6章

広がるプログラミングの世界

AI時代に注目されるPython

01

プログラミングはオープンソースの世界

サイバー空間は共有型社会

現代は知的財産の価値が高い。ひところ中国のコピー商品が問題視された。中国を旅行すると、お世辞にも精巧な模造品とはいえない〝素朴な〟コピー商品をあちこちで見かけたものだ。

だが、国際社会が知的財産権を極度に重視するようになったのは比較的最近のことだ。

知的財産保護の背景には、アメリカの情報通信戦略「情報スーパーハイウエイ構想」があった。情報通信でアメリカが世界のヘゲモニーを取ろうとした戦略であり、知的財産権がその収入の根源となっていた。

ＧＡＦＡの隆盛を見れば、情報スーパーハイウエイ構想はある程度成功したと言ってよいだろう。

知財の相互利用

一方、プログラミングの世界では、誰かが作ったプログラムをみんなで活用し合い、そこから新しいプログラムを生み出す、といったことが盛んに行われている。

プログラムはサイバー空間で公開され、誰でも自由にアクセスできる。そして、それを活用してプログラミングした結果がまた公開される。そのような活動が世界中で連続的に行われているのだ。

そこで権利を主張する人はほとんどいない。プログラミングの対価は、プログラミングの結果生み出された成果物としてリアル社会から得る。

プログラミングの世界は、究極のシェア社会なのだ。

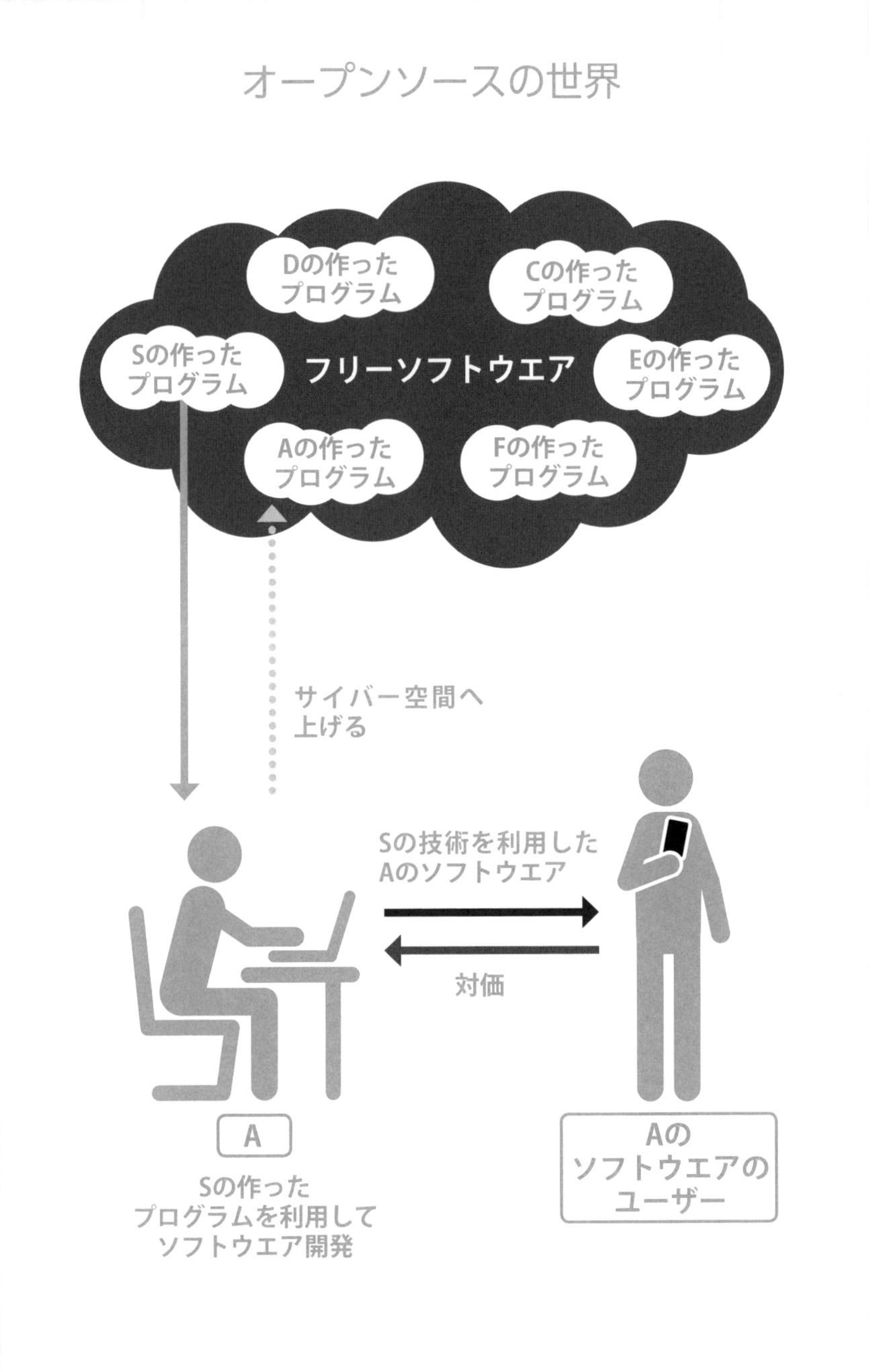
オープンソースの世界
Dの作った
プログラム
Cの作った
プログラム
Sの作った
プログラム
フリーソフトウエア
Eの作った
プログラム
Aの作った
プログラム
Fの作った
プログラム
サイバー空間へ
上げる
Sの技術を利用した
Aのソフトウエア
対価
A
Sの作った
プログラムを利用して
ソフトウエア開発
Aの
ソフトウエアの
ユーザー

02

広がるプログラミング言語の世界 VBA以外のプログラミング言語

プログラミング言語は、対象となる分野の問題を解決するために生まれる。したがって、プログラミング言語もVBA以外に数多くある。主なプログラミング言語を示しただけでも左表のとおりである。

スマホもプログラムで動いているが、スマホのプログラミング言語ではJavaが代表的だ。

話題のPythonはAIの他、FacebookやInstagramなどのウェブアプリでも使われている。その理由は簡単で、使い勝手がよいからだ。

社会が変わればプログラムも変わる

プログラミング言語の主力がC言語やCOBOLだった頃のコンピューターと、情報通信というネットワークが重要な機能となっている今日のコンピューターでは、求められる役割が異なる。

コンピューターの役割が拡大することにより、自ずと必要なプログラムも違ってくる。

PythonのようなAI対応に向いているプログラミング言語が登場した背景には、IoTをはじめとしたコンピューター・ネットワークが社会インフラの主力となりつつあることがある。

今後コンピューター社会がさらに進化し、拡大すれば、やはりプログラミング言語も進化することになるはずだ。

コンピューターが技術開発によってさらに身近になったときには、プログラミングももっと私たちにとって身近なものとなるだろう。

VBA以外の主な プログラミング言語一覧

プログラミング言語	特　徴
C	40年以上の歴史があり、他言語に与えている影響も大きい。現在もOSの開発や家電製品などの機械制御に使われることが多いため、OSやコンピューターの理解を深めることができる。
C#	マイクロソフト社が開発したプログラミング言語で、小規模から大規模までのシステムやゲーム、アプリ開発、最近の流行りであるVRにも使われている。
C++	Cを拡張した言語であり、Cでできるものはc++でもできる。ロボットや電化製品等の機械制御、業務システム、ゲームなど幅広く使える。
COBOL	60年近くも歴史があるが、多くの企業の様々なシステムを今でも現役で動かしている。初心者が今から始める言語とは言い難いが、需要はまだ多い。
GO	Googleが開発した、2009年に登場した新しいプログラミング言語であり、人気が上がってきている。初心者にも比較的わかりやすいため、これからも普及していくだろう。
Google Apps Script	Googleが提供するGmailやマップ、翻訳などの様々なサービスを操作すること以外に、組み合わせたりアプリを作ったりすることができる。初心者でも馴染みやすい言語である。
Java	高機能で汎用性が高く、処理速度も速いため、Twitterや金融機関の会計システムなどの大規模なWebサービスやシステムで使われている。スマホのアプリも作ることができる。
JavaScript	主にWebブラウザ上で使われることが多く、Webページに動きをつけることができる。汎用性も高く、初心者でも学びやすい言語である。
Objective-C	C言語をベースにした上位互換のプログラミング言語であり、アップル社のiPhone（iOS）のアプリや、Macのアプリで使われている。
Perl	30年近くも歴史のあるWebサービス向け言語だが、新しい言語が登場し普及してきたため、少しずつ普及率が減少している。
PHP	Wikipediaなど多くのWebサービスや、Webサイトの作成・管理ができるCMS（コンテンツ管理システム）などに使われている。難易度も低めで初心者には始めやすい。
Python	YouTubeやInstagram、FacebookなどのWebアプリのほか、AIなどの人工知能やビッグデータの解析にも長けており注目されている。初心者でも扱いやすい。
R	統計解析向けのプログラミング言語であり、ビッグデータを活用したり、人工知能の機械学習にも使えるため、新規事業やサービス等のマーケティングに長けている。
Ruby	日本人が開発したプログラミング言語であり、Ｗｅｂアプリやスマホアプリ、業務系アプリにも使われていて汎用性も高い。中小規模システムに使われる傾向がある。初心者でも学びやすい言語である。
Rust	2010年に登場した新しい言語であり、安全性、速度、並行性を特徴とした、比較的大規模なシステムに使われる傾向にある。まだ発展段階だが、これからの言語として注目されている。
Scala	Twitterでも使われている、2003年に登場した比較的新しい言語である。Javaをベースとして良いところを継承しているため、これからも広がっていくことが予想されている。
Swift	2014年にアップル社が開発したプログラミング言語であり、iPhone（iOS）をはじめ、アップル社製品のアプリで使われている。iPhoneの市場とともに今後も広がっていくだろう。
VBScript	マイクロソフト社が開発したプログラミング言語であり、Windows上で動かすことができる。初心者に優しく、Windows上であればすぐに動かすことができる。
Visual Basic .NET	マイクロソフト社が開発したプログラミング言語であり、高機能でもあるが、初心者に向いていると言われる。主に業務システムに使われることが多い。

03

プログラミング言語 Python の特長と有用性

シンプルなコードで読みやすい

巷間言われるところでは、「Python」は文法構造がシンプルなので、初心者でも覚えやすい。Python のプログラムをＶＢＡやC言語のそれと比べてみると、使う文字数が少ないため、たしかに短くなる。だが、はじめてプログラムのコードを見る人にとっては、そのシンプルさを見分けることは正直言って難しいだろう。

左ページのプログラムを見比べてほしい。プログラム自体が簡単なものであるため、あまり変わりがないように見えるが、ＶＢＡの反復構造では While は Wend で締めくくられているのに対し、Python には Wend に相当する文字、記号がない。C言語では｛ ｝が反復のはじまりと終わりを示す。

インデントで指示のブロックを分ける

では While と Wend、｛ ｝もなしに、Python ではどうやってコンピューターは反復する場所を認識しているのだろうか。

Python では字下げ、すなわち文字のインデント（先頭文字の位置を後ろに下げること）で、繰り返すべきブロックを指定している。コンピューターは、この字下げで示したブロックの間を行ったり来たりしているのである。

先述したとおり、ＶＢＡではコンピューターはインデントを認識しない。先頭文字の開始位置を下げているのは、あとでプログラムを見るときに見やすくするためだけだ。しかし Python では、先頭文字の位置が明確な意味を持つのである。

ＶＢＡ、Ｃ言語、Pythonの
プログラムの違い

反復構造の表記

ＶＢＡ

While ……Wendの間を繰り返し

```
cnt = 0
While cnt < 5
    Debug.Print cnt
    cnt = cnt + 1
Wend
Debug.Print "End"
```

C

繰り返しは { と } の間

```
cnt = 0;
while(cnt < 5)
{
    printf("%d¥n", cnt);
    cnt + + ;
}
printf("End");
```

Python

繰り返しの作業はWhileから字下げ（インデント）しているブロック

```
cnt = 0
while cnt < 5:
    print(cnt)
    cnt += 1
print("End")
```

04

基本構造は同じ Python も順次・反復・選択構造に変わりなし

インデントによってブロックを区別し、区別されたブロックで指示を示すことができるのがPython と他の言語との際立った違いのひとつと言える。

インデントによる視覚的な区別は人の目にもわかりやすい。

同時に、ブロックを分けるだけで他のブロックとは異なる指示ができるので、作業の終了を指示するのにいちいち Wend や Loop、それに Next と打ち込まなくてすむ。

他の言語に比べて見た目で指示がわかりやすく、約束事がシンプルだ。

それゆえ Python は「初心者にも覚えやすい」とされているのだろう。

やはりコンピューターは上から順に読む

しかし Python といえどもプログラミング言語であることに変わりない。

機械語に翻訳させて機械を動かすという仕組みは他のプログラミング言語と同じである。

したがって、プログラミング言語の3つの基本構造である「順次構造」「反復構造」「選択構造」に違いがあるわけではない。

Python で書かれたコードでも、コンピューターは上から順に読んでいくし、反復を指示された個所では繰り返して作業を行う。

また、プログラミングするときには「変数」「関数」「演算子」を使う。

変数、関数の働きは、他の言語と同じである。

演算子も、その働き自体に変わりはないものの、それがPythonの文法そのものという部分もある。

そのため、演算子の記号の意味は、Pythonの言語リファレンスで確認する必要がある。

このように、本書で述べてきたプログラミングの基本構造は、PythonもVBAも変わりない。どちらの言語を学ぶにせよ、プログラミング言語に共通する基本なのである。

日本語でのバックアップが弱い

文法と言葉の意味は、各言語によって異なるところが多い。

このあたりは、公開されている「辞書」「単語帳」を引いて調べ、Python言語の「語彙」を増やしていけばよい。

ただ、Pythonはまだ新しい言語のため、日本語でガイドしてくれるサイトは少ない。

一方、英文ではかなり広範な使い方が、豊富な実例とともに紹介されている。

読み込むのにやや手間がかかるかもしれないが、英文サイトの情報を積極的に活用してみるとよいだろう。

日本語の情報が十分に整っているとは言えないところが、現在のPythonの弱みかもしれない。

05

なぜ人気があるのか Pythonが広がった背景にある技術の進歩

Pythonがいま、世界中で注目されている理由は、正直なところよくわからない。

文法がシンプルという点はいま見たとおりだが、驚くほどシンプルで扱いやすいというほどではないし、覚えやすいかという点からも、とりわけ優れているとは思えないというのが本音だ。

たしかにPythonはライブラリが豊富である。

本書でもプログラミングの事例で、マイクロソフトの参照設定をいくつか行ったが、ライブラリが使えることでプログラミングの幅が大きく広がる。

Pythonでは、使えるライブラリの数がぐんと増える。

一般的な機械学習やディープラーニングで、多くのライブラリが用意されているのは間違いなく魅力的である。

汎用性と優位性

Pythonはいま非常に人気のある言語なので、便利なフレームワークが多数開発されている。こうした汎用性がPythonの強みだ。

汎用性のプロセスは、かつてマイクロソフトが世界で一番売れていたIBMのマシンのオペレーションソフトを作り、世界中に広がっていった経緯と似ている。

マイクロソフトのOSは、IBMが世界に流通していることによってユーザーを獲得し、ユーザーの多さによってアプリケーションが多数開発された。そのため利便性が高まり、利便性の高さによってさらにユーザーを増やした。

最も高い市場性を持った製品が、最も高い汎用性と優位性を持つことができるのだ。

Pythonもその人気を背景に数多くのフレームワークが開発され、その利便性に魅かれて多くの人がPythonの学習に向かう。

こうしてPythonのライブラリが増える。ライブラリが増えるほど汎用性が高くなり、ますますPythonの利便性は高まる。

汎用性が利便性を生み、優位性へとつながる。

Pythonはそうしたプロセスの途上にある言語のように見える。

エクセルも動かせるPythonの豊富なライブラリ

Pythonのライブラリにはエクセルを操作できるものもある。


そういうライブラリを使えば、VBAとは異なる言語であるPythonがエクセルを動かすことも可能だ。

本書でもエクセルからパワーポイントを動かすために、ライブラリを使った。インターネットの検索機能を使うためにも、参照設定でライブラリを活用した。

Pythonでも、ライブラリを使ってエクセルのマクロを動かすのだ。

無論エクセルを動かすのであれば、わざわざPythonでプログラムを組む必要はない。VBAで十分だ。

だが、もしエクセルと他のブラウザを連動して動かしたい、エクセルだけでは完結しない作業を自動化したいというのであれば、Pythonは重要な選択肢のひとつとなる。

06

向き不向きは Python にもある
Python にできること、できないこと

エクセルも動かせる汎用性の高い Python だが、もちろん何でもできるわけではない。できないことも数多くある。

正確に言えば、やってできないことはないものの、目的によってはわざわざ Python でプログラミングしなくても、もっと適切で使いやすい言語もあるということだ。

たとえばエクセルも、それだけを動かすなら Python でプログラミングする必然性はまったくない。

スマホのアプリでも Python は主流ではない。世界的に流行している言語であっても、すべてに適しているということはないのである。

Python が得意なこと・得意でないこと

Pythonが得意なこと

- ウェブアプリケーションの開発
- デスクトップアプリケーションの開発
- 組み込みアプリケーション開発
- ゲームの開発
- ＡＩ学習プログラムの開発
- ライブラリを使った複合型のプログラミング

Pythonの得意でないこと

- スマホのアプリケーション開発
- 実行速度が求められるプログラミング作業

07

Pythonのその他の特長
Pythonは1行ずつプログラムを実行するタイプ

プログラミング言語には、インタープリタ（逐時解釈）型とコンパイラ（翻訳・編集）型の2つがある。C言語やJAVAはコンパイラ型、Pythonはインタープリタ型である。VBAは、両者の中間に位置する。

両者の違いは、プログラムをコンピューターが解釈するタイミングにある。

コンパイラ型のC言語やJAVAは、コンパイル（コンピューターにわかりやすい機械語に翻訳して解釈）という処理によってプログラムを実行する。

コンパイラ型は、書いたプログラムで、すべての記述の誤りがなくならないと実行できないため、その「間違い探し」が初心者にはつらい。

実行速度が遅いPython

対してPythonを含むインタープリタ型の言語は、プログラミングしたら、すぐに1行ずつ動作チェックができる。一つひとつ確認しながら進められるので、初心者にとっては安心だ。

だが、インタープリタ型の言語はPythonだけではない。

プログラミング言語としては「古典的」な言語といってもいい、VBAの元になったBASIC言語もインタープリタ型である。

Pythonはインタープリタ型言語の中でも、ことさらに実行速度の遅い言語だ。

実行速度は遅い代わりに、わかりやすさに重点を置いた言語がPythonだと言える。

時代とともに主流は変わる

インタープリタ型の言語が初心者向きであり、動作不良の防止に優れているというのは事実だ。

しかし、それはなにもPython に限ったことではない。インタープリタ型は、古くからあるスタイルでもある。

昔からあるスタイルが、いまPython となって再び注目されるようになった理由は何か。

ひとつには技術的進歩が挙げられそうだ。

プログラミングするとき、人間が書いた通りにコンピューターがコードを理解してくれることが理想だ。しかし、コンピューターは人間が書いたままでは読みづらい。

以前はコンピューターの性能が十分でなく、1行ずつ実行するインタープリタ型では、コンピューターの負担が大きく実務には向かなかった。

そのためコンピューターのやりやすい形で機械語翻訳して、プログラムを動かすコンパイラ型が主流になったと考えられる。

コンピューターの処理速度が上がった現代であれば、プログラミング言語もインタープリタ型が求められるのは、むしろ自然といえる。

プログラムの機械語翻訳は、まとめてやるよりその都度やったほうが人間も理解しやすい。

だれでもプログラミングする時代

機械の性能と人間の技術が上がることで、パラダイムが大きく変わることはよくある。

自動車の運転が自動化されれば、運転免許制度というものは形を変えるだろうし、自動運転車に免許は不要というのが当たり前になる社会はすぐそこにあるように見える。

いささか気の早い議論ではあるものの、Pythonの登場は、プログラミングが専門家から一般人の手に移りつつある過程の現象と見ることもできるかもしれない。

これから、もっとプログラミング初心者にとっては「親切」な言語がつぎつぎと現れるだろう。

簡単で日常的なプログラミングは、技術の進歩とともにスタイルが変わり、専門家の手から素人の手に移ることとなるのではないか。

プログラミングは、より多くの人の手に渡り、より日常的で一般的なものへ、という方向に向かっていくように見える。

もしそうなら、この流れはもう止まらない。

冒頭に述べた「読み書き、英語、プログラミング」という社会人の基礎能力が、本格的に求められる時代はすぐそこに迫っている。

それがPythonという新しいプログラミング言語の流行に表れているように思う。

```
                End If
            Case 3
                If checkNoColor(TOP_X_L, TOP_Y) = True _
                And checkNoColor(TOP_X_R, TOP_Y + 1) = True _
                Then
                    checkColor_Down = True
                End If
        End Select
    Case 6
        Select Case ROTATE_NUM
            Case 0
                If checkNoColor(TOP_X_L, TOP_Y) = True _
                And checkNoColor(TOP_X_L + 1, TOP_Y + 1) = True _
                And checkNoColor(TOP_X_R, TOP_Y + 1) = True _
                Then
                    checkColor_Down = True
                End If
            Case 1
                If checkNoColor(TOP_X_L, TOP_Y + 1) = True _
                And checkNoColor(TOP_X_R, TOP_Y) = True _
                Then
                    checkColor_Down = True
                End If
        End Select
    Case 7
        Select Case ROTATE_NUM
            Case 0
                If checkNoColor(TOP_X_L, TOP_Y + 1) = True _
                And checkNoColor(TOP_X_L + 1, TOP_Y + 1) = True _
                And checkNoColor(TOP_X_R, TOP_Y) = True _
                Then
                    checkColor_Down = True
                End If
            Case 1
                If checkNoColor(TOP_X_L, TOP_Y) = True _
                And checkNoColor(TOP_X_R, TOP_Y + 1) = True _
                Then
                    checkColor_Down = True
                End If
        End Select
    End Select
End Function

Public Function checkNoColor(ByVal x As Integer, ByVal y As Integer) As Boolean
    Dim color
    color = Worksheets(TETRIS_SHEET).Cells(y, x).Interior.color

    If color = RGB(255, 255, 255) Then
        checkNoColor = True
    Else
        checkNoColor = False
    End If

End Function
```

```
                And checkNoColor(TOP_X_R, TOP_Y + 1) = True _
                Then
                    checkColor_Down = True
                End If
        End Select
    Case 4
        Select Case ROTATE_NUM
            Case 0
                If checkNoColor(TOP_X_L, TOP_Y + 1) = True _
                And checkNoColor(TOP_X_L + 1, TOP_Y + 1) = True _
                And checkNoColor(TOP_X_R, TOP_Y + 1) = True _
                Then
                    checkColor_Down = True
                End If
            Case 1
                If checkNoColor(TOP_X_L, TOP_Y + 1) = True _
                And checkNoColor(TOP_X_R, TOP_Y + 1) = True _
                Then
                    checkColor_Down = True
                End If
            Case 2
                If checkNoColor(TOP_X_L, TOP_Y + 1) = True _
                And checkNoColor(TOP_X_L + 1, TOP_Y) = True _
                And checkNoColor(TOP_X_R, TOP_Y) = True _
                Then
                    checkColor_Down = True
                End If
            Case 3
                If checkNoColor(TOP_X_L, TOP_Y - 1) = True _
                And checkNoColor(TOP_X_R, TOP_Y + 1) = True _
                Then
                    checkColor_Down = True
                End If
        End Select
    Case 5
        Select Case ROTATE_NUM
            Case 0
                If checkNoColor(TOP_X_L, TOP_Y + 1) = True _
                And checkNoColor(TOP_X_L + 1, TOP_Y + 1) = True _
                And checkNoColor(TOP_X_R, TOP_Y + 1) = True _
                Then
                    checkColor_Down = True
                End If
            Case 1
                If checkNoColor(TOP_X_L, TOP_Y + 1) = True _
                And checkNoColor(TOP_X_R, TOP_Y) = True _
                Then
                    checkColor_Down = True
                End If
            Case 2
                If checkNoColor(TOP_X_L, TOP_Y) = True _
                And checkNoColor(TOP_X_L + 1, TOP_Y + 1) = True _
                And checkNoColor(TOP_X_R, TOP_Y) = True _
                Then
                    checkColor_Down = True
```

```
            End Select
        End Select
End Function

Function checkColor_Down(ByVal x As Integer, ByVal y As Integer, ByRef Block As Integer) As Boolean

        checkColor_Down = False

        Select Case Block
            Case 1
                If checkNoColor(TOP_X_L, TOP_Y + 1) = True _
                And checkNoColor(TOP_X_R, TOP_Y + 1) = True _
                Then
                    checkColor_Down = True
                End If
            Case 2
                Select Case ROTATE_NUM
                    Case 0
                        If checkNoColor(TOP_X_L, TOP_Y + 1) = True _
                        Then
                            checkColor_Down = True
                        End If
                    Case 1
                        If checkNoColor(TOP_X_L, TOP_Y + 1) = True _
                        And checkNoColor(TOP_X_L + 1, TOP_Y + 1) = True _
                        And checkNoColor(TOP_X_L + 2, TOP_Y + 1) = True _
                        And checkNoColor(TOP_X_R, TOP_Y + 1) = True _
                        Then
                            checkColor_Down = True
                        End If
                End Select
            Case 3
                Select Case ROTATE_NUM
                    Case 0
                        If checkNoColor(TOP_X_L, TOP_Y + 1) = True _
                        And checkNoColor(TOP_X_L + 1, TOP_Y + 1) = True _
                        And checkNoColor(TOP_X_R, TOP_Y + 1) = True _
                        Then
                            checkColor_Down = True
                        End If
                    Case 1
                        If checkNoColor(TOP_X_L, TOP_Y + 1) = True _
                        And checkNoColor(TOP_X_R, TOP_Y - 1) = True _
                        Then
                            checkColor_Down = True
                        End If
                    Case 2
                        If checkNoColor(TOP_X_L, TOP_Y) = True _
                        And checkNoColor(TOP_X_L + 1, TOP_Y) = True _
                        And checkNoColor(TOP_X_R, TOP_Y + 1) = True _
                        Then
                            checkColor_Down = True
                        End If
                    Case 3
                        If checkNoColor(TOP_X_L, TOP_Y + 1) = True _
```

```
                Then
                    checkColor_Right = True
                End If
            Case 1
                If checkNoColor(TOP_X_R, TOP_Y) = True _
                And checkNoColor(TOP_X_R + 1, TOP_Y - 1) = True _
                And checkNoColor(TOP_X_R, TOP_Y - 2) = True _
                Then
                    checkColor_Right = True
                End If
            Case 2
                If checkNoColor(TOP_X_R, TOP_Y) = True _
                And checkNoColor(TOP_X_R + 1, TOP_Y - 1) = True _
                Then
                    checkColor_Right = True
                End If
            Case 3
                If checkNoColor(TOP_X_R + 1, TOP_Y) = True _
                And checkNoColor(TOP_X_R + 1, TOP_Y - 1) = True _
                And checkNoColor(TOP_X_R + 1, TOP_Y - 2) = True _
                Then
                    checkColor_Right = True
                End If
        End Select
    Case 6
        Select Case ROTATE_NUM
            Case 0
                If checkNoColor(TOP_X_R, TOP_Y - 1) = True _
                And checkNoColor(TOP_X_R + 1, TOP_Y) = True _
                Then
                    checkColor_Right = True
                End If
            Case 1
                If checkNoColor(TOP_X_R, TOP_Y) = True _
                And checkNoColor(TOP_X_R + 1, TOP_Y - 1) = True _
                And checkNoColor(TOP_X_R + 1, TOP_Y - 2) = True _
                Then
                    checkColor_Right = True
                End If
        End Select
    Case 7
        Select Case ROTATE_NUM
            Case 0
                If checkNoColor(TOP_X_R, TOP_Y) = True _
                And checkNoColor(TOP_X_R + 1, TOP_Y - 1) = True _
                Then
                    checkColor_Right = True
                End If
            Case 1
                If checkNoColor(TOP_X_R + 1, TOP_Y) = True _
                And checkNoColor(TOP_X_R + 1, TOP_Y - 1) = True _
                And checkNoColor(TOP_X_R, TOP_Y - 2) = True _
                Then
                    checkColor_Right = True
                End If
```

```
            Case 1
                If checkNoColor(TOP_X_R, TOP_Y) = True _
                And checkNoColor(TOP_X_R, TOP_Y - 1) = True _
                And checkNoColor(TOP_X_R + 1, TOP_Y - 2) = True _
                Then
                    checkColor_Right = True
                End If
            Case 2
                If checkNoColor(TOP_X_R + 1, TOP_Y) = True _
                And checkNoColor(TOP_X_R + 1, TOP_Y - 1) = True _
                Then
                    checkColor_Right = True
                End If
            Case 3
                If checkNoColor(TOP_X_R + 1, TOP_Y) = True _
                And checkNoColor(TOP_X_R + 1, TOP_Y - 1) = True _
                And checkNoColor(TOP_X_R + 1, TOP_Y - 2) = True _
                Then
                    checkColor_Right = True
                End If
        End Select
    Case 4
        Select Case ROTATE_NUM
            Case 0
                If checkNoColor(TOP_X_R + 1, TOP_Y) = True _
                And checkNoColor(TOP_X_R + 1, TOP_Y - 1) = True _
                Then
                    checkColor_Right = True
                End If
            Case 1
                If checkNoColor(TOP_X_R + 1, TOP_Y) = True _
                And checkNoColor(TOP_X_R, TOP_Y - 1) = True _
                And checkNoColor(TOP_X_R, TOP_Y - 2) = True _
                Then
                    checkColor_Right = True
                End If
            Case 2
                If checkNoColor(TOP_X_R - 1, TOP_Y) = True _
                And checkNoColor(TOP_X_R + 1, TOP_Y - 1) = True _
                Then
                    checkColor_Right = True
                End If
            Case 3
                If checkNoColor(TOP_X_R + 1, TOP_Y) = True _
                And checkNoColor(TOP_X_R + 1, TOP_Y - 1) = True _
                And checkNoColor(TOP_X_R + 1, TOP_Y - 2) = True _
                Then
                    checkColor_Right = True
                End If
        End Select
    Case 5
        Select Case ROTATE_NUM
            Case 0
                If checkNoColor(TOP_X_R + 1, TOP_Y) = True _
                And checkNoColor(TOP_X_R, TOP_Y - 1) = True _
```

```
            Select Case ROTATE_NUM
                Case 0
                    If checkNoColor(TOP_X_L - 1, TOP_Y) = True _
                    And checkNoColor(TOP_X_L, TOP_Y - 1) = True _
                    Then
                        checkColor_Left = True
                    End If
                Case 1
                    If checkNoColor(TOP_X_L, TOP_Y) = True _
                    And checkNoColor(TOP_X_L - 1, TOP_Y - 1) = True _
                    And checkNoColor(TOP_X_L - 1, TOP_Y - 2) = True _
                    Then
                        checkColor_Left = True
                    End If
            End Select
    End Select
End Function

Function checkColor_Right(ByVal x As Integer, ByVal y As Integer, ByRef Block As Integer) As Boolean

    checkColor_Right = False

    Select Case Block
        Case 1
            If checkNoColor(TOP_X_R + 1, TOP_Y) = True _
            And checkNoColor(TOP_X_R + 1, TOP_Y - 1) = True _
            Then
                checkColor_Right = True
            End If
        Case 2
            Select Case ROTATE_NUM
                Case 0
                    If checkNoColor(TOP_X_R + 1, TOP_Y) = True _
                    And checkNoColor(TOP_X_R + 1, TOP_Y - 1) = True _
                    And checkNoColor(TOP_X_R + 1, TOP_Y - 2) = True _
                    And checkNoColor(TOP_X_R + 1, TOP_Y - 3) = True _
                    Then
                        checkColor_Right = True
                    End If
                Case 1
                    If checkNoColor(TOP_X_R, TOP_Y + 1) = True _
                    And checkNoColor(TOP_X_L - 1, TOP_Y) = True _
                    And checkNoColor(TOP_X_R + 1, TOP_Y) = True _
                    Then
                        checkColor_Right = True
                    End If
            End Select
        Case 3
            Select Case ROTATE_NUM
                Case 0
                    If checkNoColor(TOP_X_R + 1, TOP_Y) = True _
                    And checkNoColor(TOP_X_R - 1, TOP_Y - 1) = True _
                    Then
                        checkColor_Right = True
                    End If
```

```
                End If
            Case 3
                If checkNoColor(TOP_X_L, TOP_Y) = True _
                And checkNoColor(TOP_X_L, TOP_Y - 1) = True _
                And checkNoColor(TOP_X_L - 1, TOP_Y - 2) = True _
                Then
                    checkColor_Left = True
                End If
        End Select
    Case 5
        Select Case ROTATE_NUM
            Case 0
                If checkNoColor(TOP_X_L - 1, TOP_Y) = True _
                And checkNoColor(TOP_X_L, TOP_Y - 1) = True _
                Then
                    checkColor_Left = True
                End If
            Case 1
                If checkNoColor(TOP_X_L - 1, TOP_Y) = True _
                And checkNoColor(TOP_X_L - 1, TOP_Y - 1) = True _
                And checkNoColor(TOP_X_L - 1, TOP_Y - 2) = True _
                Then
                    checkColor_Left = True
                End If
            Case 2
                If checkNoColor(TOP_X_L, TOP_Y) = True _
                And checkNoColor(TOP_X_L - 1, TOP_Y - 1) = True _
                Then
                    checkColor_Left = True
                End If
            Case 3
                If checkNoColor(TOP_X_L, TOP_Y) = True _
                And checkNoColor(TOP_X_L - 1, TOP_Y - 1) = True _
                And checkNoColor(TOP_X_L, TOP_Y - 2) = True _
                Then
                    checkColor_Left = True
                End If
        End Select
    Case 6
        Select Case ROTATE_NUM
            Case 0
                If checkNoColor(TOP_X_L, TOP_Y) = True _
                And checkNoColor(TOP_X_L - 1, TOP_Y - 1) = True _
                Then
                    checkColor_Left = True
                End If
            Case 1
                If checkNoColor(TOP_X_L - 1, TOP_Y) = True _
                And checkNoColor(TOP_X_L - 1, TOP_Y - 1) = True _
                And checkNoColor(TOP_X_L, TOP_Y - 2) = True _
                Then
                    checkColor_Left = True
                End If
        End Select
    Case 7
```

```
            Case 1
                If checkNoColor(TOP_X_L - 1, TOP_Y) = True _
                Then
                    checkColor_Left = True
                End If
        End Select
    Case 3
        Select Case ROTATE_NUM
            Case 0
                If checkNoColor(TOP_X_L - 1, TOP_Y) = True _
                And checkNoColor(TOP_X_L - 1, TOP_Y - 1) = True _
                Then
                    checkColor_Left = True
                End If
            Case 1
                If checkNoColor(TOP_X_L - 1, TOP_Y) = True _
                And checkNoColor(TOP_X_L - 1, TOP_Y - 1) = True _
                And checkNoColor(TOP_X_L - 1, TOP_Y - 2) = True _
                Then
                    checkColor_Left = True
                End If
            Case 2
                If checkNoColor(TOP_X_L + 1, TOP_Y) = True _
                And checkNoColor(TOP_X_L - 1, TOP_Y - 1) = True _
                Then
                    checkColor_Left = True
                End If
            Case 3
                If checkNoColor(TOP_X_L - 1, TOP_Y) = True _
                And checkNoColor(TOP_X_L, TOP_Y - 1) = True _
                And checkNoColor(TOP_X_L, TOP_Y - 2) = True _
                Then
                    checkColor_Left = True
                End If
        End Select
    Case 4
        Select Case ROTATE_NUM
            Case 0
                If checkNoColor(TOP_X_L - 1, TOP_Y) = True _
                And checkNoColor(TOP_X_L + 1, TOP_Y - 1) = True _
                Then
                    checkColor_Left = True
                End If
            Case 1
                If checkNoColor(TOP_X_L - 1, TOP_Y) = True _
                And checkNoColor(TOP_X_L - 1, TOP_Y - 1) = True _
                And checkNoColor(TOP_X_L - 1, TOP_Y - 2) = True _
                Then
                    checkColor_Left = True
                End If
            Case 2
                If checkNoColor(TOP_X_L - 1, TOP_Y) = True _
                And checkNoColor(TOP_X_L - 1, TOP_Y - 1) = True _
                Then
                    checkColor_Left = True
```

```
            Call getRandBlock(x, y, Block)
        End If
End Sub

Private Sub moveLeft(ByRef x As Integer, ByRef y As Integer, ByRef Block As Integer)

        If TOP_X_L > BOTTOM_X_LEFT And checkColor_Left(TOP_X_L, y, Block) = True Then
            Call deleteRandBlock(x, y, Block)
            x = x - 1
            Call getRandBlock(x, y, Block)
        End If
End Sub

Private Sub moveDown(ByRef x As Integer, ByRef y As Integer, ByRef Block As Integer)

        If TOP_Y < BOTTOM_Y And checkColor_Down(x, TOP_Y, Block) = True Then
            Call deleteRandBlock(x, y, Block)
            y = y + 1
            Call getRandBlock(x, y, Block)
        End If
End Sub

Function DropBlock(ByRef x As Integer, ByRef y As Integer, ByRef Block As Integer) As Boolean

        If TOP_Y < BOTTOM_Y And checkColor_Down(TOP_X_R, TOP_Y, Block) = True Then
            Call deleteRandBlock(x, y, Block)
            Call getRandBlock(x, y + 1, Block)
            DropBlock = True
        Else
            DropBlock = False
        End If

        End Function

Function checkColor_Left(ByVal x As Integer, ByVal y As Integer, ByRef Block As Integer) As Boolean

        checkColor_Left = False

        Select Case Block
            Case 1
                If checkNoColor(TOP_X_L - 1, TOP_Y) = True _
                And checkNoColor(TOP_X_L - 1, TOP_Y - 1) = True _
                Then
                    checkColor_Left = True
                End If
            Case 2
                Select Case ROTATE_NUM
                    Case 0
                        If checkNoColor(TOP_X_L - 1, TOP_Y) = True _
                        And checkNoColor(TOP_X_L - 1, TOP_Y - 1) = True _
                        And checkNoColor(TOP_X_L - 1, TOP_Y - 2) = True _
                        And checkNoColor(TOP_X_L - 1, TOP_Y - 3) = True _
                        Then
                            checkColor_Left = True
                        End If
```

第1章01のゲーム・プログラム全文

あなたのエクセルに、以下のプログラムをペーストして動かしてみよう。
※使い方はhttp://books.cccmh.co.jp/list/detail/2438/をご参照ください。

```
Option Explicit

' Excelのバージョン別対応
#If VBA7 Then
'32bit PC
Private Declare PtrSafe Sub Sleep Lib "kernel32.dll" (ByVal ms As Long)
Private Declare PtrSafe Function GetAsyncKeyState Lib "user32.dll" (ByVal vKey As Long) As Long
#Else
'64bit PC
Private Declare PtrSafe Sub Sleep Lib "kernel32.dll" (ByVal ms As LongPtr)
Private Declare PtrSafe Function GetAsyncKeyState Lib "user32.dll" (ByVal vKey As LongPtr) As Long
#End If

Sub setEvent(ByRef x As Integer, ByRef y As Integer, ByRef Block As Integer)
    If GetAsyncKeyState(vbKeyLeft) <> 0 Then
        Call moveLeft(x, y, Block)
    End If

    If GetAsyncKeyState(vbKeyRight) <> 0 Then
        Call moveRight(x, y, Block)
    End If

    If GetAsyncKeyState(vbKeyDown) <> 0 Then
        Call moveDown(x, y, Block)
    End If

    If GetAsyncKeyState(vbKeySpace) <> 0 Then
        Call rotateBlock(x, y, Block)
    End If

    If GetAsyncKeyState(vbKeyF2) <> 0 Then
        Dim highScore As Integer
        highScore = Worksheets(TETRIS_SHEET).Cells(SCORE_POSITION_Y + 2, SCORE_POSITION_X).Value
        If highScore < Score Then
            Worksheets(TETRIS_SHEET).Cells(SCORE_POSITION_Y + 2, SCORE_POSITION_X).Value = Score
        End If

        MsgBox "ゲームオーバー " & Chr(13) & "あなたのスコア : " & Score
        End
    End If
End Sub

Private Sub moveRight(ByRef x As Integer, ByRef y As Integer, ByRef Block As Integer)

    If TOP_X_R <= BOTTOM_X_RIGHT And checkColor_Right(TOP_X_R, y, Block) = True Then
      Call deleteRandBlock(x, y, Block)
      x = x + 1
```

Windowsのショートカットキー

スタート画面	スタートメニューを表示する	Windows
	デスクトップを表示する	Windows+ D
	Cortana（コルタナ）を起動する	Windows+ S
	設定画面を表示する	Windows+ I
	アクションセンターを表示する	Windows+ A
	Windows Ink Workspaceを起動する	Windows+ W
アプリの起動	タスクバーからアプリを起動する	Windows+ 1～0
画面の切り替え	アプリやウィンドウを切り替える	Alt+ Tab
	タスクビューを表示する	Windows+ Tab
仮想デスクトップ	仮想デスクトップを追加する	Windows+ Ctrl+ D
	仮想デスクトップを切り替える	Windows+ Ctrl+ ← or →
	仮想デスクトップを閉じる	Windows+ Ctrl+ F4
基本操作	操作を元に戻す	Ctrl+ Z
	元に戻した操作をやり直す	Ctrl+ Y
	すべての項目を選択する	Ctrl+ A
	複数の項目を選択する	Shift+ ↑ or ↓ or ← or →
	選択した項目を切り取る	Ctrl+ X
	選択した項目をコピーする	Ctrl+ C
	切り取り、コピーした項目を貼り付ける	Ctrl+ V
	クリップボードの履歴を表示する	Windows+ V
	新規ウィンドウを開く／ファイルを作成する	Ctrl+ N
	ファイルを保存する	Ctrl+ S
	ファイルを開く	Ctrl+ O
	ファイルを印刷する	Ctrl+ P
	ショートカットメニューを表示する	Shift+ F10
ファイルとフォルダー	エクスプローラーを起動する	Windows+ E
	アイコンの表示形式を変更する	Ctrl+ Shift+ 1～8
	前のフォルダーに戻る	Alt+ ←
	戻る前のフォルダーに進む	Alt+ →
	親フォルダーに移動する	Alt+ ↑
	ファイルやフォルダーの名前を変更する	F2
	新しいフォルダーを作成する	Ctrl+ Shift+ N
	ファイルやフォルダーを検索する	Ctrl+ F
	リボンを表示にする	Ctrl+ F1
	ファイルやフォルダーを完全に削除する	Shift+ Delete
	ウィンドウを閉じる	Alt+ F4
	プロパティを表示する	Alt+ Enter
	プレビューパネルを表示する	Alt+ P
	アドレスバーに履歴を表示する	F4
ウィンドウの操作	ウィンドウのメニューを表示する	Alt+ Space
	ウィンドウを最大化・最小化する	Windows+ ↑ or ↓
	ウィンドウを左半分・右半分に合わせる	Windows+ ← or →
	すべてのウィンドウを最小化する	Windows+ M
	ウィンドウを閉じる	Ctrl+ W
画面	画面の表示モードを選択する	Windows+ P
	スクリーンショットを撮影する	PrintScreen
	スクリーンショットを撮影して保存する	Windows+ PrintScreen
	指定した範囲のスクリーンショットを撮影する	Windows+ Shift+ S
システム	［ファイル名を指定して実行］を表示する	Windows+ R
	［タスクマネージャー］を表示する	Ctrl+ Shift+ Esc
	パソコンをロックする	Windows+ L
	クイックリンクメニューを表示する	Windows+ X

Excelのショートカットキー

データの入力	セル内のデータを編集する	F2
	同じデータを複数のセルに入力する	Ctrl+ Enter
	上のセルのデータをコピーする	Ctrl+ D
	左のセルのデータをコピーする	Ctrl+ R
	上のセルの値をコピーする	Ctrl+ Shift+ 2
	上のセルの数式をコピーする	Ctrl+ Shift+ 7
	同じ列のデータをリストから入力する	Alt+ ↓
	フラッシュフィルを利用する	Ctrl+ E
	日付を入力する	Ctrl+ ;
	現在時刻を入力する	Ctrl+ :
数式の入力	合計を入力する	Alt+ Shift+ =
セルの挿入と削除	セルを挿入する	Ctrl+ Shift+ +
	セルを削除する	Ctrl+ −
セルの移動	セルA1に移動する	Ctrl+ Home
	表の最後のセルに移動する	Ctrl+ End
	表の端のセルに移動する	Ctrl+ ↑ or ↓ or ← or →
	指定したセルに移動する	Ctrl+ G
セル範囲の選択	一連のデータを選択する	Ctrl+ Shift+ ↑ or ↓ or ← or →
	表全体を選択する	Ctrl+ Shift+ :
	「範囲選択に追加」モードにする	Shift+ F8
	「選択範囲の拡張」モードにする	F8
	表の最後のセルまで選択する	Ctrl+ Shift+ End
	列全体を選択する	Ctrl+ Space
	行全体を選択する	Shift+ Space
行と列	行、列を非表示にする	Ctrl+ 9 or 0
罫線	外枠罫線を引く	Ctrl+ Shift+ 6
	罫線を削除する	Ctrl+ Shift+ ＼
文字の書式	文字に取り消し線を引く	Ctrl+ 5
セルの書式	［セルの書式設定］を表示する	Ctrl+ 1
表示形式	パーセント（%）の表示形式にする	Ctrl+ Shift+ 5
	通貨の表示形式にする	Ctrl+ Shift+ 4
	桁区切り記号を付ける	Ctrl+ Shift+ 1
	標準の表示形式に戻す	Ctrl+ Shift+ ^
操作の繰り返し	セルに対する操作を繰り返す	F4
数式の表示	セルの数式を表示する	Ctrl+ Shift+ @
テーブル	表をテーブルに変換する	Ctrl+ T
グラフ	グラフを作成する	Alt+ F1
クイック分析	クイック分析を使う	Ctrl+ Q
フィルター	フィルターを設定する	Ctrl+ Shift+ L
グループ化	行、列をグループ化する	Alt+ Shift+ →
セル範囲の名前	選択範囲の名前を作成する	Ctrl+ Shift+ F3
	セル範囲の名前を管理する	Ctrl+ F3
検索と置換	データを検索する	Ctrl+ F
	データを置換する	Ctrl+ H
コメント	コメントを挿入する	Shift+ F2
	コメントがあるセルを選択する	Ctrl+ Shift+ O
ワークシート	前後のワークシートに移動する	Ctrl+ PageUp or PageDown
	シートを左右に移動する	Alt+ PageUp or PageDown
	ワークシートを追加する	Shift+ F11
マクロ	マクロ画面を表示する	Alt + F8

小川公一郎（おがわ・こういちろう）

株式会社トリプルエーテクノロジーズ代表取締役。
1976年埼玉県生まれ。日本大学工学部機械工学科卒業後、独立系ソフトウエア開発会社勤務を経て2010年に独立。おもに中小企業向けに、販売管理や生産管理、会計管理などの基幹システムをコンサルティングから設計、開発、運用及び保守まで請け負う（アプリ開発やデータ連携サービスなども）ほか、WebサイトやLINEスタンプなどの制作も手掛ける。

福田浩之（ふくだ・ひろゆき）

株式会社ティー・エス・イー専務取締役、情報処理安全確保支援士。
1974年神奈川県生まれ。神奈川大学情報科学科卒業後、電機メーカー系ソフトウエア企業を経て、2001年に株式会社ティー・エス・イーの立ち上げに参画。現在は自動車業界や建設業界に顧客を持ち、おもに制御系ソフトウエアの提案を行っている。

装丁・本文デザイン　竹内淳子（株式会社新藤慶昌堂）
編集協力　亀谷敏朗
校正　株式会社円水社

EXCELで簡単《かんたん》プログラミング

プログラミングを知《し》らないビジネスパーソンのためのプログラミング入門《にゅうもん》

2020年6月11日　初版発行

著　者　小川公一郎／福田浩之
発行者　小林圭太
発行所　株式会社ＣＣＣメディアハウス
〒141-8205　東京都品川区上大崎3丁目1番1号
電話　03-5436-5721（販売）
　　　03-5436-5735（編集）
http://books.cccmh.co.jp
印刷・製本　株式会社新藤慶昌堂

ISBN978-4-484-20214-3